KB001213

괄호 치고

괄호 치고

(살아온 자잘한 흔적)

박주영 산문집

프롤로그

MBTI가 유행하기 훨씬 이전부터 내가 INF형 인간임을, 나는 잘 알고 있었다. 내향형을 넘어 혼자라야 마음의 안정을 찾는 독거형 인간! 이런 유형의 사람이 할 수 있는 일이란 책 읽고, 비디오 보고, 음악 듣는 일이 전부였다. 그래도 오지랖은 넓어서, 방구석에서 뒹굴뒹굴하며 세상 모든 일을 걱정했다. 날마다 등교하는 것이 고역이었으나, 그렇다고 학교를 그만둘 만큼 간이 크지도 않았다. 서른 즈음에 매일 사법연수원으로 출근하게 됐을 때는 정말 미치는 줄 알았다. 출석 일수 미달로 퇴원 경고를 받을 정도였다. 은둔형 인간의 출근은 자신의 은신처로 되돌아오기 위해 어쩔 수 없이 치러야 하는 전투라 생각하며 꾸역꾸역 버텼고, 아직도 버티고 있다.

이런 유형의 사람은 세상과 타인에 대한 두려움과 피곤이 많다. 내가 변호사를 하다 법원으로 온 가장 큰 이유도, 수많은 사람의 그 살벌하고 축축한 콧김과 입김을 바로 앞에서 맞는 게 견딜 수 없어서였다. 그렇게 나는 법원으로 숨어들었고, 법정을 엄폐물 삼아 세상과 내외하고 살았다. 그러나 그 결정은 엄청난 실수였다.

한번 걸러지긴 해도 판사에게 오는 사건은 변호사의 사건과는 비교할 수 없을 정도로 큰 에너지파를 지녔다. 선임료 돌려주고 사임할 수도 없었다. 말할 수 없이 답답했다. 표현하고 싶었지만 어떻게 하는지도 몰랐다. 우연히 판결문 아닌 글을 쓸 기회가 탈출구처럼 찾아왔지만, 법정 밖으로 나오는 게 두려웠다. 나는 글을 써야만 존재 가치를 인정받고, 글로 먹고사는 전업 작가가 아니다. 이유를 불문하고 입 다물어야 한다. 이게 판사의 직업윤리고 미덕이다. 그렇게 배웠다. 수많은 EST형 인간들을 제쳐두고 굳이 내가 써야 하는 이유를 알 수 없었고, 글의 수준은 더욱 확신할 수 없었다. 글을 쓰지 말아야 할 이유가 수십 가지도 넘었다. 그런데도 썼다.

평범한 글이지만, 뼬밭처럼 쉽사리 빠져나오지 못하는 문장을 만날 때가 있다. 작가가 피와 눈물로 썼거나, 아예 작정하고 독자들이 건널 수 없도록 해자垓字를 파둔 것이다. 《어떤 양형 이유》와 《법정의 얼굴들》은 그런 심정으로 쓴 책들이다. 법정에 선 사람들의 얼굴을 다시 떠올리고, 글로 옮기는 작업은 몸의 일부가 부서지는 것 같은 사역이었다. 법정이라는 고통의 늪에서 이 사람들과 나를 제발 건져달라고, 그게 아니라면 다같이 빠져 죽자고, 세상을 향해 생떼를 부린 글이었다. 절박하고 힘들었다. 책의 출간, 딱 거기까지가 내게 주어진 소임이라 생각했다. 나는 완전히 탈진했고, 출간 다음 단계가 있으리라고는 상상도 못 했다. 그리고 나는 놀랐다.

랄프 맥텔Ralph McTell의 〈Streets of London〉이란 노래를 좋아한다. 어제 자 신문처럼 아무짝에도 쓸모없는 노인과, 누더기를 걸치고 전 재산이 담긴 가방을 끌며 거리를 배회하는 여자를 좋아한다. 이 노래를 들을 때마다 나는, 랄프 맥텔이 내 손을 끌고 런던 거리 이곳저곳을 보여줬듯, 어쩌면 내가 판결문과 판결문 아닌 글에서 그토록 보여주려 했던 것 역시 우리의 런던 거리였다고 생각한다.

나나 당신이나 외롭지 않다고 말하려는 게 아니다. 우린 모두 외로운 사람들이다. 상황이 더 나쁜 사람들도 있으니 그들을 보고 견디자는 말도 아니다. 타인의 불행을 딛고 행복해질 수 없고, 그렇게 행복해져봐야 의미도 없다. 이 노래는, 우리처럼 외롭고 힘든 사람들이 런던 거리와 세상 곳곳에 존재하고, 그들도 하루를 살고 있으니, 다같이 힘내자는 의미다.

이 노래는 "어떻게 외롭다고 말할 수 있어?"라는 가사가 반복된다. 내가 힘든 시절을 무사히 건너오게 해준 구절이다. 나는 이 노랫말을, '아무리 힘들어도 그렇지, 사랑하는 사람을 곁에 두고 어떻게 그런 말을 해?'로 바꿔 들었다. 법원에 온 이후, 스스로 선택한 길임에도 '이 길이 맞나'라는 생각에 많이 힘들었는데, 책을 펴낸 후 사람들의 반응을 보고 크게 위로받았다. 마치 랄프 맥텔이 내게, '이런 사람들이 있는데, 어떻게 외롭다고 말할 수 있어? 내가 그랬지, 세상은 나름대로 괜찮다고, 힘들다고 징징대더니만 꼭 그렇지도 않지?'라고 말하는 것만 같았다.

민들레 홀씨를 받아주는 대지가 없었다면 민들레의 영토는 늘 제자리였을 것이다. 글이라는 게, 공감이라는 게, 민들레가 영토를 넓히듯 한 사람의 마음을 확장하는 것 아닐까, 어렴풋이 생각했다. 책을 쓰고 나서야 그 생각이 맞았다는 걸 알았다. 엉성하고 하자 많은 인간이지만, 세상에 속마음을 털어놓았더니, 세상이 다정하게 말을 받아주었다. 쓸쓸한 길이 이제 견딜 만하다. 런던 거리 곳곳을 함께 걸어준 사람들, 하잘것없는 민들레 홀씨 하나를 품어준 사람들 덕분이다. 이제야 나는 방구석에서 나와 세상에 안착했다. 그렇게 현직 판사가 책을 두 권이나 내고 분에 넘치는 관심까지 받았음에도, 어찌 된 영문인지 쓰는 걸 멈출 수 없다. 나 같은 독거형 인간에게 책을 쓴다는 일은, 세상과의 아주 느린 대화고, 이런 소통조차 없다면 견딜 수 없어서일까.

판결문에는 뭔가를 부연 설명하는 형태의 괄호를 잘 쓰지 않는다. 의미 전달에 있어 속도와 정확성을 요구하는 판결문의 특성 때문이다. 판결문장은 단호하고 적나라한 의사 표현 방식이다. 나 역시 판결로 국가기관으로서 공적 의사를 수없이 드러냈다. 앞선 두 권의 책조차 대부분 괄호 밖 나의 모습과 생각이었다. 그러나 이는 외부로 드러난 나의 일부분일 뿐이다. 모든 사람에게는 괄호 치고 살아온 삶이 있다.

이 책에 실린 글은 판사로 임용된 2006년 이후부터 최근까지의 이야기로, 내가 법정 안팎에서 보고, 듣고, 읽은 것들, 그리고 신문 칼럼으로 쓴 파편 같은 기록을 모은 것이다. 일관된 주제도 없다. 법정과 재판 이야기도 있고, 내가 위로받은 음악과 사람, 시와 노랫말, 영화나 드라마 이야기도 있다. 지독한 독거형 인간이 매일 전투를 치르고 돌아와 커튼 치고, 앰프 켜고, 앨범 걸고, 괄호를 여닫으며 살아온 자잘한 흔적이랄까.

글을 전부 모아놓고 우쭐해져 돌아보니, 이 책은 내 주변의 사랑받기 충분한 대상에 관한 것이 많았다. 내가 한 일이라곤 고작, 사랑받아 마땅한 것들을 사랑한 일뿐이었다. 또 내가 쓴 것이라곤, 누구라도 쓸 수밖에 없었던 글을 자동기술한 것에 불과했다. 그리하여 나는 이 책을 통해, 내가 사랑하고 써내려간 대상들이 애초에 받았어야 마땅한 존경과 감사를, 그들에게 되돌려주는 것이 이 글의 목적이었음을, 나중에서야 깨달았다.

솔직히 말해 여전히 이런 신변잡기의 글이 가치 있을까, 의문스럽고 염려된다. 하지만, 이제 그런 걱정은 가능한 한 접어두고, 그저 이 글이 가닿을 누군가만 생각하려 한다. 쓰이기만 하면 멈추지 않고 뚜벅뚜벅 어딘가에 닿고야 마는 문자의 힘을 생생하게 보았다. 이전 두 책이 강철군화의 행군 같기를 바랐다면, 이번 책은 맨발 걷기였으면 한다. 연약하고 조심스러운 발걸음이지만, 발바닥과 온몸에 온기와 활기를 줄 수 있기를, 그리하여 글 쓴이도, 글 읽는 이도 모두 건강하기를, 진심을 다해 바란다.

사랑하는 아내와 아이들에게 또 한 권의 책을 건넬 수 있어 행복하다. 괄호 안 삶을 궁금해하고, 다시 한번 책을 펴내준 모로 출판사 조은혜 대표에게는 늘 부족한 고마움을 전한다.

끝으로, 내 생의 시작인 어머니, 서도숙 여사님께 이 책을 바친다. 보세요! 제가 어머니로부터 얼마나 멀리 왔는지!

차례

이 모든 게 사랑이 벌인 일이라니

1

산을 그냥 흙덩이라 부르지 않는 이유는 생명이 깃들어 있어서다.

사람에게 사랑이 없다면 그저 살덩이에 불과하다.

2

1974년 테러의 범인으로 몰려 15년 동안 억울하게 옥살이를 하다 무죄로 풀려난 아일랜드 청년 제리 콘론Gerry Conlon의 실화를 다룬 영화 〈아버지의 이름으로〉는 철없는 아들(다니엘 데이 루이스)을 지키려는 아버지 주세페 콘론(피트 포슬스웨이트)의 부정이 눈물겨운 영화다. 영화 속 주세페가 변호사 가레스(엠마 톰슨)를 처음 만난 뒤 한 말이 있다. "이 사람은 다르다." 주세페의 예상대로 뭔가 다른 변호사 가레스는 끝내 제리의 무죄를 이끌어낸다.

콘론 부자에게 있어 가레스 변호사처럼, 사랑은 널리고 널린 비슷한 사람들 중 다른 한 사람을 찾는 여정이다. 나만의 유일한 사람을 만들어가는 과정이기도 하다. 사랑은 숨은 사람을 찾아내 커스터마이징하는 작업이다.

나만의 그가 나를 구원한다.

3

영화 <백엔의 사랑>에서 이치코(안도 사쿠라)는 대학을 졸업하고 부모에게 얹혀사는 무기력한 젊은이다. 변변한 직업도 없이 백엔숍에서 아르바이트를 하던 중 복싱을 배우면서 인생을 새롭게 시작한다. 세상에 환멸을 느끼는 이치코가 복싱을 하는 이유는 "때리다가도 끝나면 서로 등 두드려주는 게 좋아서"다. 이 대사가 좋았다. 서로 위해주는 척하지만 등 뒤에서 칼을 꽂는 세상과 달리, 링 위에서는 잡아 죽일 듯 치고받다가 종이 울리면 포옹하고 토닥토닥 등 두드려준다. 링은 완벽한 세계다. 제목도 참 멋지다. 사랑이 천 원짜리 다이소 물건처럼 흔하고 가성비 넘친다면 더 바랄 게 있을까.

4

넷플릭스 드라마 〈기묘한 이야기〉의 기본 발상은, 평행 우주처럼 다른 차원의 존재다. 이런 소재는 수많은 SF물에서 흔히 다뤄져 식상할 법도 한데, 〈기묘한 이야기〉는 미스터리, 호러, 초능력, 성장드라마의 요소를 적절히 가미해서 꽤 재미있다.

평행 우주나 다른 차원을 연결하려면 포털이 필수적이다. 현실에도 다른 차원과 포털이 있다고 느낄 때가 있다. 예를 들면, 사랑하는 사람과 격렬하게 다투고 극적으로 화해한 날이 그렇다. 갈등과 화해의 두 세계는 완전히 다른 차원에 있다.

포털은 멀리 있는 게 아니다. 희망, 공포, 절망, 분노 모두 다른 차원으로 가는 포털이다. 그중에서도 사랑은 가장 강력하고 이상적인 포털이다. 사랑이라는 관문을 통과하면 세상이 완전히 다르게 바뀐다.

5

하루 동안 도대체 무슨 일이 있었기에,

오늘은 어제와 이처럼 다른가.

디나 워싱턴Dinah Washington이 이 질문에 답한다.

하루가 만든 엄청난 차이What a difference a day made는 바로 당신이다.

이토록 다른 어제와 오늘 사이에,

당신이 있다.

6

모성애는 정신병이야. (영화 〈허슬러〉)

사랑의 힘 또는 효능은 언제 봐도 경이롭다. 벌겋게 달궈진 냄비를 맨손으로 잡을 사람은 없지만, 사랑에 빠지면 다르다. 사랑으로 치명상을 입을 줄 알면서도 그 뜨거운 걸 꽉 움켜쥐고 도무지 놓지를 않는다. 사랑에 관한 한 우리는 모두 기인이다.

7

이용악 시인의 〈그리움〉은 언제 읽어도 절창이다. 눈이 오냐고, 함박눈 펑펑 쏟아지냐고 애타게 묻는 구절 때문이다. 무언가에 대한 궁금함이 없다면 우리는 버틸 수 없다. 사람으로 인해 쓸쓸한 날이면 이 시구가 떠오른다. 안부를 묻는 그 마음을 다시 한번 되새긴다.

피고인이든, 피해자든, 가해자든, 주변인이든 나는 안부를 묻는다.

거기도 눈이 옵니까? 거기 정말 견딜 만한가요? 밥은 어떻습니까? 춥진 않나요?

누군가의 일상을, 우주를, 존재 자체를 궁금해하는 마음, 이 마음이면 충분하다. 타인에 대한 호기심이 없었다면 우린 진작 소멸했을 것이다.

8

처음엔 당신의 구두를 사랑했다.* 시작은 낡아빠진 구두였다. 그러다 목숨마저 던질 수 있게 됐다. 어쩌자고 이런 사소한 것에 빠져 이 지경까지 왔는지 자신조차 잘 납득되지 않았다. 필연적이고 거창한 사건이 없었음에도 갑자기 너를 온통 사랑하게 된, 너무 쉽게 네게 귀의해버린 것에 대한 쑥스러운 핑계가 착한 구두라니. 너를 사랑해서 구두를 사랑한 게 아니라, 구두를 사랑하다 보니 너까지 사랑하게 되었다니. 너를 사랑하자 온 세상이 그 사랑에 주렁주렁 딸려온다니. 이 모든 게 사랑이 벌인 일이라니.

* 성미정, 〈처음엔 당신의 착한 구두를 사랑했습니다〉, 《꽃이 져도 너를 잊은 적 없다》(이문재 엮음), 이레, 2007.

9

어두운 강가에 서서 시커먼 강물을 본다. 가끔씩 물결이 일렁인다. 물결을 일으키고 보이게 하는 것은 바람이 아니다. 빛이다. 빛은 모든 것을 움직이게 한다. 사랑도 그렇다. 어둡고 육중한 무언가가 움직였다면 거기 사랑이 있는 것이다.

10

주디 갈랜드Judy Garland의 〈Come rain or Come shine〉은 내가 무척 좋아하는 곡이다. 노랫말 중에 아무도 사랑하지 않은 것처럼 사랑할 거라는 구절이 여러 번 나온다. 이 말은 무슨 의미일까. 누구도 사랑하지 않은 방식으로 사랑한다는 말인가. 한 번도 사랑받지 못한 사람을 사랑한다는 말인가. 항상 처음과 같은 마음으로 사랑하겠다는 말인가. 오직 한 사람만을 사랑한다는 말인가.

참된 사랑은 늘 새롭다. 출근 도장을 찍듯 매일 사랑을 갱신하지 않는다면, 매 순간 사랑이 샘솟지 않는다면 우린 언제나 옛사랑과 사는 셈이다. 옛사랑의 용적이 워낙 커서 평생 그것만으로 사는 경우도 있지만, 대부분 옛사랑은 고갈되고 소진된다.

참사랑은 계속 재생됨과 동시에 대체 불가다. 나만 가능한 사랑, 당신만 할 수 있는 사랑이다. 야구 통계의 WAR(Wins Above

Replacement의 약자로 대체 선수에 비해 얼마나 많은 승리에 기여했는가를 나타내는 수치다. 2010년 이대호의 WAR은 8.76이었는데 이는 2010년 이대호가 대체 선수에 비해 팀에 8.76승을 더 안겨줬다는 뜻이다)처럼 당신이 다른 사람보다 8.76배 더 행복을 주기 때문에 사랑하는 게 아니다. 내 기쁨에 있어 당신의 WAR은 무한대이자, 측정 불가다.

사랑은 행복할 때나 불행할 때나 언제나 함께하는 것이다. 설령 비와 햇빛, 행복과 불행, 그 모든 원인이 당신이라 해도, 나는 당신을 사랑할 거다. 못나도 사랑하고, 미워도 사랑한다. 중요한 건 사랑받는 당신의 상태가 아니라, 사랑하는 나의 상태다.

나는 처음 사랑하듯 늘 새롭게 당신을 사랑할 것이다. "어제보다 오늘 더, 내일보다는 덜 사랑할 것이다."(에드몽 로스탕) 사랑이 갱신되는 모든 날마다 당신은 내 생애 가장 큰 사랑이다. 비가 오나 눈이 오나 그 누구도 할 수 없는 나만의 방식으로 사랑할 것이다.

이 노래를 좋아하지 않을 도리가 있을까.

11

우주비행사들이 우주에 나가 무중력상태에 놓이면 처음엔 계속 뒤집히는 느낌이 든다고 한다. 그들의 감각에서 중력이라는 벡터가 빠졌기 때문이다. 벡터는 수학이나 물리학, 공학에서 크기와 방향을 갖춘 양을 일컫는 용어인데, 벡터의 부재는 일상에서도 흔히 접한다. 바로 상실감이다.

당신이 없으면 나는 위아래도, 과거와 미래도 구분하지 못한다. 당신이라는 벡터가 내 시공간의 대부분을 차지하기 때문이다.

✣

2020년 4월 29일 이천시 물류창고에서 큰불이 나 38명이 숨지고 10명이 중상을 입었다. 결혼 1년 만에 남편을 잃은 뒤 커플 목걸이 두 개를 모두 걸고 다니는 한 피해자의 아내는 인터뷰에서 "자기도 왜 이런 일을 당했는지 몰랐을 테니까 (남편 핸드폰으로) 카톡을 보낸다. 1이 안 없어지니 힘들어서 내가 확인한다"고 말했다.* 대체 불가한 사람을 숫자로 표현하면 1이다. 그 벡터값도 1이다.

* 이선화, "[밀착카메라] 이천 참사 한 달… 장례도 못 치른 유족들", 〈JTBC〉, 2020. 5. 28.

12

그리움은 사랑의 잔열이다.

13

이문세의 노래 〈옛사랑〉의 가사처럼 사랑도 지겨울 때가 있다. 사랑은 시종일관 현존을 확인받으려 한다. 아이러니하게도 그 집요함 때문에 사랑은 소거되고 삭제되고 잊히곤 한다. 그러나 아주 극미량이라도 사랑의 잔존은 중요하다. 영화 〈스틸 앨리스〉에서 앨리스(줄리앤 무어)를 규정하는 것은 인지가 아니라 사랑이다.

〈스틸 앨리스〉의 마지막 장면에서, 둘째 딸이 글을 읽어주자 앨리스는 사랑을 느낀다. 모든 것을 잊어버려도, 사랑을 아는 한 여전히 앨리스다. 사랑은 무언가로 나아가기 위한 수단이 아니라 모든 것이 다가오는 대상이자, 존재 그 자체다.

14

사랑받고 있음을 알면서 이 세상에 태어나고, 사랑받고 있음을 알면서 이 세상을 떠난다면, 그사이에 일어나는 모든 일은 무엇이든 견딜 수 있다. (마이클 잭슨)

출생의 순간을 인지할 수 없으므로, 인간에게는 죽음의 순간이 가장 중요하다. 삶의 끝자락이 사랑으로 충만하다면 전 인생이 용납된다. 삶을 버거워하는 사람을 버티게 하는 것은, 사랑받을 수 있다는 전망이다.

15

사랑하지 않는 삶이 의미 없음을 잘 알지만, 사랑에 실패하고 상처받으면 사랑이 두려워진다. 그런 세상에서는, 날은 점점 일찍 저물고, 사람들은 빨리 외로워지고 늦게 사랑한다. 그즈음 우연히 아일랜드 민요 〈수양버들 공원에 내려가Down by The Salley Gardens〉를 들었다. 이 노래는 수많은 가수가 부를 만큼 멜로디가 애잔하고 아름답지만, 노랫말로 쓰인 예이츠William Butler Yeats의 시가 특히 좋다. 사랑에 치이고 사람이 버거운 날이면 주문처럼 이 문장을 되뇐다.

나뭇잎 자라듯 쉽게 사랑하라고,
우린 여전히 젊고 어리석다고,
나뭇잎 자라듯 사랑도 쑥쑥 자랄 거라고,
나뭇잎 자라듯 쉽게 사랑하자고.

16

《시가 내게로 왔다》(김용택, 마음산책, 2001)를 읽다가 자세나 각도에 대한 생각에 미쳤다. 남향, 동향, 북향. 집을 어느 쪽으로 앉힐지는 무척 중요하다. 방향에 따라 일조량과 일조시간, 라이프 스타일이 완전히 바뀐다. 사람도 마찬가지다. 너의 복사열과 빛의 강도는 널 향한 나의 방향과 각도에 크게 의존한다.

당신을 사랑하지 않았다면, 내가 결코 사랑하지 않았을 것들에는 무엇이 있을까. 당신들이 아니었다면 나는 절대 한국 드라마를, 브로콜리를, 아스파라거스를, 적금을, 건강검진을, 금연을, 맨체스터 유나이티드를, 콜 오브 듀티를 사랑하지 않았을 것이다. 아니, 태어날 때부터 우울한 나는, 이 세상을 절대 지금만큼 좋아하지 않았을 것이다.

17

타전이야, 타전!

그냥 오는 게 아니라 두드림이야.

네 소식은 언제나 나를 쾅쾅 두드렸지.

기쁨이든, 슬픔이든, 그리움이든, 사랑이든

나는 늘 두들겨맞듯 네 소식을 듣고,

그 무수한 망치질에 단조鍛造된 거야.

서로의 두드림으로 우린 이렇게 단단해진 거지.

18

멍하니 창밖을 보다 창밖도 아니고 창 안도 아니고 창을 유심히 본 적이 있다. 사람이 창 같다고 생각했다. 물방울과 이슬이 들러붙고, 쏟아지는 햇살과 빛과 열기가 나를 관통한다. 너는 내가 낸 창의 크기로만 나를 인식하고, 나도 네가 낸 창으로만 너를 안다. 멀리서 보면 나와 너의 창 안에 무엇이 있는지 전혀 알 수 없다. 창으로만 보는 한 우린 서로 미지의 존재다. 사람과의 관계는 창에 바짝 얼굴 맞대고 오래 들여다보는 관조로써 발전한다. 한참을 바라본 후, 마침내 창을 열고 너에게로 들어간다.

19

사랑은 한 영혼이 다른 영혼을 거처로 삼는 행위다.

사랑은 영혼의 유일한 이주다.

20

치찰음(齒擦音, sibilant)이라는 게 있다. 공기가 치아 사이 좁은 틈을 통과할 때 발생하는 마찰을 이용해서 내는 '스' '쓰' '츠' 같은 소리다. 이런 소리는 성능이 좋은 오디오 기기에서 들으면 굉장히 거슬린다.

스물다섯 나이에 자동차 사고로 요절한 천재 트럼페터, 클리퍼드 브라운Clifford Brown과 헬렌 메릴Helen Merrill이 협연한 앨범 〈Helen Merrill with Clifford Brown〉은 명반이다. 이 앨범은 연주는 물론 녹음도 뛰어나 오디오 파일들이 오디오 성능을 테스트하는 레퍼런스로 많이 사용하는데, 그중 빌리 홀리데이Billie Holiday의 노래로 널리 알려진 〈Don't Explain〉은 오디오의 치찰음을 테스트하는 데 상당히 효과적이다. '허쉬hush' '익스플레인explain' 같은 단어의 발음에서 치찰음이 세게 들리기 때문이다.

내 오디오가 변변치 않아서인지 나는 오디오 파일 대부분이 신경 쓰인다는 〈Don't Explain〉의 치찰음이 거슬리기는커녕 오히려 좋았다. 그러고 보면 나는 치찰음에 관대한 편이다. 스, 츠 같은 소리가 날카롭게 고막을 때리는 걸 은근히 즐긴다.

치찰음은 존재와 존재가 부딪치는 실존적인 소리다. 날카롭게 사랑하고, 격렬하게 미워하는 소리다. 사랑도 미움도 예민해야 할 수 있다. 둔감한 사랑이나 둔탁한 미움은 없다. 곁에 바짝 붙어 서로의 존재를 만끽할 때 나는 소리가 바로 치찰음이다.

치찰음에 대한 좋은 기억이 있다. 아이들 나이가 두 자리가 채 못 되었을 때, 늦가을 경주로 여행을 갔다. 아무도 없는 보문호 주위 산책로에는 바싹 마른 낙엽이 잔뜩 쌓여 있었다. 아이들은 낙엽에 발을 담그기도 하고, 낙엽을 차기도 하고, 쓸기도 하면서 재잘재잘 뛰어다녔다. 낙엽 먼지인지 물안개인지 무언가 아스라이 피어오르고, 낙엽 부딪치는 소리는 계속 들렸다. 인생의 한 순간이 캡쳐되는 느낌이었다. 좌싸삭, 좌싸삭 하는 소리와 함께. 나는 그때 낙엽 차는 소리를 행복의 소리로 들었다. 동시에 어떤 이들 사이에서는 삶을 언어로 옮기려는 시도가 부질없다고도 느꼈다. 우린 이미 서로의 기쁨이고 고통인데, 내 삶은 온통 당신들 것인데. Don't explain!

21

1광년은 빛이 365.25일을 날아가는 거리다. 광년은 거리와 시간을 동시에 내포한다는 점에서 재미있는 개념이다. 그럼, 갈매기가 1년을 나는 거리는 1갈매기년, 사람이 사람을 향해 1년간 가는 거리는 1인년일까. 20년 넘게 누군가를 향해 열심히 다가가고 있지만, 좀처럼 닿을 수 없다. 어떤 1인년은 달팽이보다 더 느리다.

✣

떨어져 있는 한 동시에 존재한다는 건 의미가 없다. 거리가 곧 시간이기 때문이다. 동시란 같은 시간이 아니라, 같은 공간에 있는 것이다. 곁에 없으면 존재하지 않는다.

22

미야자와 겐지의 시 〈비에도 지지 않고〉를 읽다가, 문득 부부의 삶에 생각이 미쳤다. 부부로서의 삶은 이 시구와 다르다. 꽃에 지고, 별에 지고, 햇볕에 같이 지다가, 소나기에도, 폭풍에도, 사태에도 같이 지지 않는다. 부부는 함께 지지 않고, 또 함께 지는 존재다.

23

대법원 지역법관 연구조로 차출됐다. 사실 재판에 더해, 별 볼일없는 가외 일만 느는 것이라 다들 기피하지만, 아내를 위해 잘난 판사들 중에서도 특히 잘난 사람만 뽑는 것인 양 으스대주었다. 내가 잘돼야 하는 이유, 내가 출세해야 하는 이유는 단 한 가지다. 아내가 기뻐하기 때문이다. 아니, 아내가 덜 슬프기 때문이다. 자신의 전 인생을 베팅한 결과물이 신통찮으면 얼마나 서글프겠는가.

✣

스마트폰 잠금화면을 꽃밭에서 환하게 웃는 아내의 예전 모습으로 바꾸었다. 꽃보다 아름답고 환하다. 웃음이 너무 환해 마음이 아팠다. 그 웃음 뒤에는 나만 아는 아픔이 있기 때문이다.

사진을 잘 바꿨다는 생각이 든다. 보기 좋아서가 아니다. 아내 얼굴에서 웃음기가 사라질 때마다, 아내가 이렇게 웃을 능력이 있는 사람이라는 사실과 그 웃음이 바로 내 의무임을 계속 환기할 수 있어서다.

24

당신은 모든 차원에서 활짝 피어난 사람이었습니다. 언제나 삶을 정면돌파했지요. 반면에 나는 우리 진짜 인생이 시작되려면 멀었다는 듯 언제나 다음 일로 넘어가기 바쁜 사람이었습니다.*

아내의 생일날, 출처를 밝히지 않고 편지에 이 글을 써서 주었다. 아내는 내가 말하기 전까지 인용한 글이라는 걸 전혀 눈치채지 못했다. 이 문장에서만큼은 토씨 하나 빼지 않고 나는 완벽히 고르스였다.

* 앙드레 고르스, 임희근 옮김, 《D에게 보낸 편지》, 학고재, 2007.

✣

목소리가 듣고 싶은 사람에게는 말을, 메시지를 간직하고 싶은 사람에게는 글을, 따뜻함을 원하는 이에게는 체온을 전해야 한다. 상대가 원하는 것을 적절한 방식으로 전달하는 것이 가장 올바른 언어다. 손발이 찬 아내에게 가장 좋은 언어는 열이 많은 내 손이다.

25

〈님아: 여섯 나라에서 만난 노부부 이야기〉는 노부부들의 삶을 다룬 넷플릭스 다큐멘터리다. 그중 1편에 나오는 진저와 데이비드는 미국 버몬트주 농장에서 60년을 함께 살았다. 그들은 미리 죽음을 준비한다. 진저는 북쪽 부모님 묘 옆에 묻히기를 원하고, 데이비드는 태어나고 자란 농장에 그대로 남고 싶어 한다.

그들이 죽은 후 어느 날 남풍이 불면 데이비드가 진저를 찾을 것이다. 북풍이 불면 진저가 농장으로 올 것이다. 그들은 홀로 또 같이 영원할 것이다.

26

진부한 증오, 식상한 절망, 뻔한 고통은 있을지 몰라도 진부한 사랑은 없다. 사랑은 모든 클리셰를 깬다. 사랑이 뻔하다는 생각이 들면 더는 사랑이 아니다.

27

부모는 앰프다. 자식으로 인한 고통과 사랑을 수십 배 증폭시킨다. 부모는 그렇게 과장된 감정으로 평생을 산다. 아이가 수학여행 때 사온 효자손이나 싸구려 큐빅 목걸이의 소중함을 모르는 사람은 부모 자격이 없다.

✣

《허삼관 매혈기》*의 일락一樂, 이락二樂, 삼락三樂은 재미있고 해학적인 이름이다. 책을 다 읽으면 자식에 대한 기쁨이, 낳은 기쁨이 아니라 기르는 기쁨이라는 데 다시 한번 공감하게 된다.

✣ 위화, 최용만 옮김, 푸른숲, 2007.

28

나비는 알에서 애벌레, 번데기를 거쳐 나비가 된다. 번데기는 완전 변태를 하는 곤충류에서 나타나는 유충기와 성충기 사이의 정지적 발육단계다. 말하자면 나비 새끼다. 인간의 새끼를 기르다 보면 인간도 나비처럼 완전 변태를 한 게 아닌가 하는 착각이 들 때가 있다. 불과 얼마 전까지 작고 어리고, 볼품없고 순하던 것이 갑자기 화려한 성체가 된다. 그 폭발적 도약과 아름다운 변태에 눈이 부시는 한편 아련하다. 짧지 않았을 변화의 시간을 정지적이라 인식한 내 무감함에는 치가 떨린다.

✣

아이들이 커간다. 그들이 부재하는 시간이 점점 늘어난다. 가지는 비고, 할 일은 줄고, 나는 늙는다. 아이들과 농구를 했다.

점프를 하고 내려오다 허리를 삐끗했다. 몸이 예전 같지 않음을 느끼는 순간, 마음도 저릿하다. 요추부 염좌는 견딜 만하나 심부 염좌는 심란하다.

29

아이들에게 삐까번쩍한 새 축구화를 사준 날이 기억난다. 물질이 기쁜 게 아니라 상황이 기뻤다. 마음과 맥락이 담기지 않으면 귀한 선물이나 예술도 한낱 물건이나 오락에 불과하다. 축구화에 담긴 아이의 염원과 부모의 사랑이 없다면 기쁨도 없다. 하루키가 옳다. 의미가 없으면 스윙도 없다.

✣

괴테는 평생 동안 행복했던 시간이 열일곱 시간이었다고 고백하면서 행복은 언제나 곁에 있다고 말한 바 있다. 우연히 이 글을 아이들 틈에서 읽었는데, 내가 행복 사이에 있다는 것을 실감하고 전율했다. 공연히 책 잘 읽는 아이들에게 한 번씩 헤드락을 한 후, 나는 으스러지게 행복을 껴안았다.

30

아이들이 방학이라고 2박3일 동안 친척집을 다녀왔다. 어제는 같은 아파트에 사는 친구 집에서 잤다. 아이들이 집을 나가 있는 시간이 점점 더 늘어난다. 떨어져본 적이 없어 아이들이 부재한 시공이 낯설다. 불안하고 안정감이 들지 않는다.

그래, 이렇게 떠나가는 거겠지. 다들 이렇게 이별하는 거겠지. 익숙해지겠지, 이 상황이. 보내줘야지. 보호하는 마음과 집착하는 마음은 다른 거겠지. 내가 집을 떠날 때 내 부모도 그랬을까. 떠나는 아이들의 배에 결코 동승하지 않겠다고 다짐하면서도 자꾸 그들이 떠난 해안 쪽으로 고개가 돌아간다.

✣

새로운 것을 찾아 멀어져만 가는 사람이 있다. 자식이 그렇다. 오랜만에 아이들과 함께 제주도로 여행을 갔다. 제주는 눈에 들어오지 않고 손가락 사이로 스르르 빠져나가는 아이들만 보였다. 나와 아내는 제주가 아니라 아이들을 여행했다.

31

아이들은 쿵쾅거리며 뛰어다니고, 아내는 아랫집에서 인터폰이 왔다고 야단을 치고, 나는 철도 없이 아이들을 부둥켜안고 춤을 춘다. 엘라 피츠제럴드Ella Fitzgerald의 〈Irving Berlin Songbook〉과 〈Ella & Louis〉를 듣는 토요일 저녁이다. 시와 재즈는 내 삶에서 지울 수 없는 후일담이 될 것이다. 내가 즐겨 읽고 들은 것을 정리해야 한다. 지금은 아이들이 내가 무슨 곡을 듣고 있는지 모르겠지만, 때가 되면 내가 남긴 기록으로 알게 될 것이다. 그러면 아이들은 엘라 피츠제럴드를 절대로 허투루 듣지 않을 것이다.

내가 느낀 것을 아이들이 느끼는 것보다 더 좋은 일이 있을까. 시와 음악이 주는 공감으로 우리는 언제든 하나 될 것이기 때문이다. 내가 느낀 것과 다른 것을 느껴도 좋다. 세상에 다른 느낌과 시각을 가진 사람들이 존재함을 안다는 것만큼 인간을 성장시키는 것이 또 어디 있겠는가.

아이들이 나중에 자신의 아이들에게 엘라 피츠제럴드의 곡을 들려줄 가능성도 높다. 다른 사람이면 몰라도 엘라 피츠제럴드나 루이 암스트롱Louis Armstrong은 그렇다. 이런 곡을 혼자만 듣고 마는 사람은 없기 때문이다. 그 노래를 들으면서 나를 추억할 것이다. 그렇게 나는 엘라와 루이와 함께 영원할 것이다. 기억은 매개가 필요하다. 특히 감정을 떠올리는 일이 그렇다. 그 매개가 아름다운 시와 음악과 책이라면 더 바랄 것이 없다.

아이들과 뺨 비비며 춤추는 지금 여기가, 바로 천국이다.

내가 남기는 모든 상처가 치명적이기를

1

쿠엔틴 타란티노 감독은 영화도 좋지만 음악을 정말 잘 쓴다. 그의 데뷔작으로 알려진 〈저수지의 개들〉 OST 앨범은 주옥같은 곡들로 채워져 있다. 그중 〈Stuck In The Middle With You〉는 스코틀랜드 포크록 밴드 스틸러스 휠Stealers Wheel의 히트곡이다. 멜로디는 흥겹지만 가사 때문에 들을 때마다 씁쓸하다. 내 처지가 늘 돌쩌귀a hinge 같다고 생각하기 때문이다. 부모와 아내, 아내와 자식, 원고와 피고, 검사와 피고인, 가진 자와 못 가진 자 사이에 끼인 삶. 문짝과 문설주 양쪽에서 부하 걸린 삶, 내가 한쪽으로 쏠리는 순간 집이 와르르 무너져버리는 그런 삶, 꽉 끼인 삶, 아들의 삶, 아버지의 삶, 판사의 삶.

2

좋은 낚시꾼은 물고기처럼 생각한다. (구본형)

상대방 입장에서 생각해보라는 말은 잘 와닿지 않지만 구본형의 말은 머릿속에 박히고 자꾸 변용된다. 좋은 사냥꾼은 노루처럼 생각한다. 좋은 판사는 당사자처럼 생각한다. 좋은 부모는 아이처럼 생각한다. 좋은 투수(타자)는 타자(투수)처럼 생각한다. 행동의 가장 좋은 준거는 상대의 심중에 있다.

3

사람은 제자리에 있어야 한다. 떠날 때를 알고 떠나는 뒷모습이 아름답듯, 있어야 할 자리에 있는 것은 아름답다. 아이는 푸른 들판에서 뛰어야 한다. 아이가 부검실에 누워 있어서는 안 된다. 있어야 할 자리에 있고, 없어야 할 자리에 없는 것, 이것이 정의다.

잘 쓴 문장 역시 있음과 없음이 적절한 문장이다. 나는 있어야 할 자리에 있는가. 그래서 나는 정의롭고 아름다운 문장인가. 남의 자리에 앉아 악취만 풍기고 있는 건 아닌가.

4

자신에게 엄격하기는 상당히 어렵다. 때론 스스로를 이렇게까지 몰아붙여야 되나 싶을 때도 있다. 그러나 자신을 계속 의심하고 다그치는 게 맞다. 자신에게 느슨해지면 와르르 악해지기 때문이다. 바르게 살기는 진짜 어렵다. 다만 자신에게 너무 엄격하면, 자존감이 떨어지고 버티기가 힘들다. 이때는 주변 사람들이 도와줘야 한다. 당신은 나쁜 사람이 아니라고, 잘못을 인식하고 고치려 하는 한 당신은 좋은 사람이라고.

그러나 현실은 어떤가. 자신에게 관대하고 타인에게 엄격한, 나는 괜찮은 사람이고, 당신은 몹쓸 사람이라 여기는 사람이 너무 많다. 모든 갈등과 분쟁이 여기서 비롯된다. 전위차electric potential difference처럼, 타인과 자신의 자릿값에 대한 인식 차이가 크면 클수록, 갈등의 전압은 더 커진다.

5

살면서 비참한 순간이 언제인가. 누군가의 기대를 저버릴 때다. 네가 이런 인간인 줄 몰랐다는 말만큼 괴로운 말이 또 있을까. 그러나 이건 좀 낫다. '그래, 나는 원래 이런 인간이다. 자기 마음대로 생각해놓고 왜 나한테 뭐라 그래'라고 넘길 수 있다.

정말 비참한 건, 내가 내 기대를 저버릴 때다. 내가 형편없는 인간임을 자각했을 때, 이때는 좀처럼 견디기 어렵다.

외면의 추함은 자기만 느끼고, 내면의 추함은 타인만 느낀다. 늙음을 받아들이면 외모의 변화는 견딜 만하다. 그러나 노욕에 찌든 이 마음만큼은 정말 눈 뜨고 볼 수가 없다.

6

감히 내가,

감히 나를!

이 사이를 헤매고 있다.

그 낙차가 아찔하다.

7

별은 빛나고, 바람은 불고, 잎은 눕고, 꽃은 졌다가 또 핀다. 하늘은 푸르고 길은 멀고, 대기는 싱그럽다. 단순한 묘사지만 이 이상의 묘사도 무의미하다. 자연에 대한 표명은 단순할수록 좋다. 아무리 기묘하고 심오한 표현도 '바람이 분다'를 넘지 못한다. 전부 사족이고 치장이다. 자연은 단순명료하다. 어지러운 것은 자아다.

나는 누구인가. 나는 어떤 사람인가. 이게 나인가. 나는 무엇을 욕망하는가. 내 욕망이 나를 규정할 수 있는가. 외부로 노출될수록 자신을 객관화하기가 점점 힘들어진다. 나에 대한 타인의 시선과 평가가 내 시야와 사고에 섞여 들기 때문이다. 나를 찾기 위해 가장 먼저 할 일은, 수많은 거울이 놓인 방에서 빨리 탈출하는 것이다.

✣

여행을 즐기는 편은 아니지만, 세월이 흐르다 보니 많은 곳을 가봤다. 낡은 여권은 각양각색의 스탬프로 빼곡하다. 그중 최고의 여행지는 사랑하는 이의 마음속이었다.

죽기 전에 가보고 싶은 곳이 한 군데 더 있다. 내가 나를 만나는 곳이다. 거기가 진짜 낙원이다.✣

✣ 샬린Charlene, 〈I've Never Been To Me〉

8

모든 생명체는 태어난 이상 죽음으로부터 시시각각 도망치면서 악착같이 살아남으려 한다. 그러나 생존과 삶은 다르다. 불안과 죽음 앞에서 스스로를 던질 수 있어야 비로소 참된 생이 시작된다. 하이데거의 말처럼, 피투彼投된 세상에서 적극적으로 기투企投해야 한다. 주사위를 던져야 게임이 시작된다.

9

재즈의 본질은 스윙과 즉흥연주improvisation에 있다. 그중에서도 즉흥성이 핵심이다. 뛰어나든 조악하든 모든 연주는 제각각이다. 하나의 곡에 수많은 버전의 연주가 있다. 〈Misty〉는 에롤 가너Erroll Garner의 피아노가, 〈My Funny Valentine〉은 쳇 베이커Chet Baker의 보컬이 최고다. 인생도 비슷한 테마의 무한 변주임과 동시에 무수한 카덴차cadenza나 즉흥연주다. 주어진 악보대로 사는 인생은 없다. 타인의 삶이나 연주를 따라 해도 표절이라 욕할 수는 없지만, 별 재미는 없다. 비록 성취가 뛰어나지 않더라도, 변주가 고유하고 독창적일수록 인생은 아름답고 의미 있다.

10

성공과 실패, 성장과 정체, 진보와 퇴보는 섣불리 판단해선 안 된다. 당대가 아니라 역사적으로 큰 흐름에서 봐야 한다. 거시적으로 보면, 실패를 딛고 성공으로 가는 게 아니다. 실패가 아니라, 거대한 성공의 일개 성취다. 실패는 성공의 어머니가 아니라, 어머니 성공의 한 자식이다.

중요한 것은, 거대한 흐름, 목표, 가치에 대한 정확한 판단과 믿음이다. 이것이 망실되면, 작은 성공을 계속 쌓으면서도 끝내 벼랑으로 나아간다. 마치, 정규시즌에 우승하면서도 포스트시즌에서 탈락하는 것처럼. 미시적 성취나 실패에 일희일비할 필요 없다.

✣

등산을 하다가 힘들면, 내려오는 사람에게 묻는다. 정상까지 얼마나 남았나요? 조금만 가면 돼요. 거의 다 왔어요. 그러나 조금 더 가도 정상은 나타나지 않는다. 올모스트 데어almost there, 거의 다 왔다는 말을 믿지 않을 뿐 아니라 좋아하지도 않는다. 거의 다 온 세계는 없다. 거의 다 온 목표도 없다. 삶은 등산이 아니다. 정상이 아니라 과정이 곧 목표다. 삶은 올모스트 데어가 아니라, 매 순간이 도착이다. 그렇기에 바른 길에 서 있어야 한다. 삶의 방향이 올바르면, 나는 매 순간 도착하고 있는 것이다.

11

인생은 다만 흐르는 추이를 알 뿐이고, 개념이 이 추이를 가로질러 예리한 경계를 지운다. (구스타프 라드브루흐)

법은 실생활에서 벌어지는 분쟁을 해결하는 실용적인 것이지만, 법학 자체는 난해한 개념학문이다. 정치한 개념 정의가 학문의 시작이자 끝이다. 개념으로 중무장한 법률가는 칼 같은 사람들이다. 같은 사안이라면 '내로남로'나 '내불남불'만 허용된다. '내로남불'은 법률가 머릿속에는 있을 수 없다. 유효 아니면 무효, 유죄 아니면 무죄다. 사랑 아니면 불륜, 정의 아니면 불의다. 사랑하면서 미워할 순 없다. 이것이 법의 존재 이유다.

사회는 대단히 복잡하고 모호해서 누군가 '이것이 정의다'라고 선언해주지 않는 한 한 걸음도 나아갈 수 없다. 그러나 이 지점이 곧 법의 한계이기도 하다. 인간은 결코 선과 악, 정의와 불의 따위로 구분되고 정의될 수 있는 간단한 존재가 아니고, 세상은 정확한 묘사가 불가능한 강이다. 정신 차리지 않으면 순식간에 불의의 흐름에 휩쓸려버린다. 그 도도한 흐름과 방향에 집중하면서, 개념과 이성이라는 노를 힘차게 저어가야 한다.

오랫동안 법정에서 지켜본 바로, 구체적 전투에서 선은 악에 역부족이었다. 그러나 큰 흐름에서는 선에도 승산이 있다. 선은 대의를 향해 나아가기 때문이다. 중요한 건 끊임없이 방향을 모색하고 머물지 않는 것이다. 선과 정의를 향한 추이를 잃어버릴 때, 거기가 바로 지옥이다.

12

작은 배려가 절망을 딛고 일어서게 했다고 굳게 믿는 사람이 있는가 하면, 제 절망적 처지를 타인의 탓으로만 돌리는 사람도 있다. 모두 잘못된 인식이다. 성공과 실패의 절대적 지분은 자신에게 있기 때문이다. 인과에 대한 인식, 이것이야말로 우리가 세상을 바라보는 출발점이다. 혹시 틀리더라도 발전적으로 틀려야 한다. 넘어지더라도 앞으로 넘어지라는 말이다(덴절 워싱턴).

✣

투수의 기도는, '타자가 치는 모든 공이 잡히게 해주소서, 내가 던지는 모든 공을 못 치게 해주소서'여서는 안 된다. '내가 던지는 공이 더 빠르게 해주소서, 공이 더 잘 휘게 해주소서'여야 한다.

13

며칠에 걸쳐 지역법관제도 개선방안 보고서를 끝냈다. 모처럼 만의 달콤한 휴식을 즐기던 중 행정처 인사심의관에게서 전화가 왔다. 이번 정기인사 때 희망한 곳으로 갈 수 없다는 말을 하며 그 이유에 대한 설명을 붙였다. 나는 수화기를 붙잡고 여러 차례 사정을 했다. 전화를 끊고 한참 후 그에게 메일을 보냈다. 비굴한 인사희망원을 보낸 사실이 계속 마음에 걸려서였다. 원칙에 따를 테니 너무 신경 쓰지 말라고 썼다.

아무리 바라는 결과가 있어도 자기를 버려서는 안 되는 법이다. 비굴하게 굴어 잘된다면 결과는 좋았으되 자신을 버린 것이다. 비굴했음에도 안 된다면 모든 걸 잃은 꼴이다. 떳떳이 응대했다면 결과가 안 좋아도 최소한 자기는 지킨 것이다. 정도로 사는 것이 최선이다.

14

어둠을 그리려면 빛을 그려야 하죠. 빛을 그리려면 어둠을 그려야 하고요. 어둠과 빛, 빛과 어둠이 그림 속에서 반복됩니다. 빛 안에서 빛을 그리면 아무것도 없죠. 어둠 속에서 어둠을 그려도 아무것도 안 보입니다. 꼭 인생 같아요. 슬플 때가 있어야 즐거울 때도 있다는 것을 알게 됩니다. 그리고 저는 지금, 좋은 때가 오길 기다리고 있어요. (밥 로스)

슬픔에 슬픔이 얹히면 더 큰 슬픔이 되고, 기쁨에 기쁨이 더하면 더 크게 기쁠 것 같지만, 꼭 그렇지는 않다. 같은 것이 반복되면 둔감해지고 때론 변질한다. 서로의 슬픔을 나누는 것 역시 때론 위로가 되기도 하지만, 슬픔에 중독되어 헤어나지 못할 수도 있다.

드라마 〈브레이킹 배드〉의 스핀오프인 〈베터 콜 사울〉 시즌

4에 전직 경찰이자 역시 경찰이었던 아들을 잃은 마이크(조너선 뱅크스)가 며느리 스테이시(케리 콘던)가 참여하는 생존자 모임에 함께 가는 장면이 나온다. 자기 순서가 되자 스테이시가 말한다.

"오늘 저는 일어나서 샤워를 했어요. 케일리는 혼자 일어나서 학교 갈 준비를 했고, 그냥 평범한 아침이었어요. 아침 식사로 프렌치토스트를 만들었고 케일리가 과학 박람회에 출품하려고 만든 저절로 짜지는 치약 얘기를 했어요. 아이를 학교에 데려다준 후 출근했죠. 그러다가 깨달았어요. 왜 그때 깨달았는지는 모르겠지만 아침 내내 매티 생각을 안 했어요. 한 번도요. 프렌치토스트를 만들 때 매티가 좋아하던 메뉴인 걸 왜 잊었던 걸까요? 아침 식사를 만들 때마다 매티 생각을 하는데 오늘은 아니었어요. 그냥 몇 분만 그런 게 아니었어요. 몇 시간씩 생각을 안 했던 거예요. 몇 시간씩 그럴 수 있다면 온종일은요? 일주일 내내는? 그이 목소리를 잊으면 어떡하죠? 그이를 완전히 잊으면 어떡해요? 그러진 않을 걸 알아요. 그건 불가능하지만… 모르겠어요. 그냥 모르겠어요."

이후 마이크는, 스테이시의 말을 이어받아 죽은 아내 얘기를 꺼내는 남자가 사실은 거짓 사연으로 모임에 와 참여자들을 우롱하는 사기꾼임을 밝혀낸다. 그가 자리를 박차고 나간 후 마이크가 참여자들에게 말한다.

"저 작자가 제대로 찾아왔군요. 안 그렇소? 당신들이 눈치 못 챌 줄 안 거요. 그리고 눈치 못 챘죠. 자기의 슬픈 사연에 사로잡혀 서로의 우울함을 먹고 사느라고…"

마이크가 옳다. 슬픔으로 슬픔을 치유할 것 같지만 그렇지 않다. 그건 치유가 아니다. 스테이시처럼 슬픔에 대한 죄의식이 일상의 기본적인 정조가 되면, 슬픔과 연민을 먹고 연명할 뿐 영원히 슬픔에서 벗어나지 못한다.

색조를 극적으로 바꾸는 것은 밥 아저씨의 붓질처럼 참 쉽지는 않은 일이지만, 변화는 결국 의지에 달린 문제다. 빛은 어둠의 파국적 의지다.

✣

자연이 변했다고 변절이라 욕하지 않는다. 변화는 나쁜 것이 아니다. 시류에 영합하지 않고 소신을 지키는 것도 어리석은 일이 아니다. 단, 변화나 소신에는 합당한 이유가 있어야 한다. 바뀜과 머묾의 동기가 중요하다.

15

내 삶에 변화를 가져다준 이들은 누구인가? 나를 변화시키려 애쓰지 않았던 이들이다. (유진 피터슨)

범죄자의 교정 과정을 무수히 지켜본 경험에서 말하건대, 사람을 인위적으로 개조하려는 시도는 대부분 실패한다. 타력에 의한 변화는 그 힘이 사라지면 지속될 수 없고, 오히려 훨씬 더 강한 힘으로 원상복귀한다. '사람 고쳐 쓰는 거 아니다'라는 말을 무척 싫어하지만, 강압적으로 사람을 개조하는 방식에는 찬성하지 못하겠다. 사람을 진정으로 변화시키는 것은 믿음과 애정, 그리고 약불을 켜고 뭉근히 기다리는 자세다.

16

몸이 아파 휴직했다가 복직한 첫날, 여러 가지 감정이 교차했다. 내 부재의 여파를 조금도 찾을 수 없는 모습에 서운한 면도 없진 않았으나, 그보다는 비록 아주 작은 퍼즐이나 레고 조각일지언정, 내가 아니면 그 누구로도 맞출 수 없는 세상의 빈틈 하나를 채운 것 같아 내심 기뻤다. 물론 이는 사실이 아니라 순전히 주관적 느낌이거나 희망일 수도 있겠지만.

그러나 아무리 초라하고 보잘것없는 세상의 한 귀퉁이라도, 나만 줄 수 있는 풍경이 있다. 우리는 모두 자신이 속한 풍경의 최적임자다. 이런 마음이라도 없다면 인생이 너무 허무하지 않은가.

17

다큐멘터리나 관찰 예능을 보며 수많은 카메라 앞에서 참가식적으로 행동한다고 생각할 때가 있었다. 그러나 잠시나마 출연해보니 생각이 바뀌었다. 2008년 우연찮은 기회에 지금은 종영된 〈VJ특공대〉에서 즉결재판을 공개한 적이 있었다. 사무실에서 기록을 보고 법복을 입고 법정으로 걸어가는 장면부터 법정 안팎의 모습까지 자유롭게 촬영하도록 허락했는데, 처음에는 VJ가 신경 쓰이고 카메라가 어색해 계속 흘끔거렸다. 그러나 재판에 몰입하자 어느 순간부터 카메라가 잘 보이지 않더니, 허위신고로 즉결에 온 한 중년 여성의 재판을 할 때는 촬영 중이란 사실을 까맣게 잊어버리고 일장 훈계를 했다. 그러다 다시 촬영 중임을 인지하고 점잖게 마무리했지만.

사생활을 적나라하게 노출하고 과시하는 SNS에 대한 비판이 많지만, 자신을 피사체 삼는 것은 꼭 필요하다. 자기를 서사의 주인공으로 삼아 주체적으로 행동하게 하고, 익명성에 숨어 망가지는 것을 방지할 수 있어서다. 현대판 신독慎獨이나 일종의 자발적 패놉티콘Panopticon✣이라고 할까.

익명의 독자를 상정한 글쓰기도 이와 흡사하다. 어쩌면 인생 자체가, 자기를 주인공으로 시작부터 끝까지 한 번의 컷으로만 촬영하는 원 테이크 영화 아닐까. 단 한 번의 출연인데, 같은 값이면 멋지게 찍자.

✣ 벤담이 고안한 원형 감옥으로 가운데 감시탑에서 간수가 자신을 드러내지 않고 외곽의 죄수들을 관찰하도록 설계됐다. 푸코는 권력이 다수를 감시하는 사회에서, 개개인은 언제 감시받는지 알 수 없기 때문에 늘 감시당한다는 가정하에 행동하게 되고, 그 결과 모든 동료가 감시자인 '자발적 감시 사회'가 된다고 한다.

18

Che la mia ferita sia mortale

내가 남기는 모든 상처가 치명적이기를

코르시카산 복수용 나이프에 새겨진 문구다. 만들어진 목적에 가장 충실하고 일체의 군더더기가 없는 말이다. 그래서 명문이다.

19

일본 애니메이션 〈귀를 기울이면〉에는 책을 좋아하고 글을 쓰고 싶어 하는 중학생 소녀 시즈쿠가 "나 같은 건 널렸어"라고 자조하는 장면이 있다. 누구나 느껴봤을 좌절감이다. 정말 글 잘 쓰는 사람은 너무 많고 나는 너무 형편없다. 그러나 세상을 조금 살아보니 엄청 특별하다고 여겨지는 사람들도 사실 평범하고 별 볼일없다. 발에 차이는 게 베스트셀러고, 유명 작가도, 스크린 속 스타도 널렸다. 두 눈을 아무리 부릅떠도 티끌만큼도 담지 못하는 게 하늘의 별이다. 그 많은 것 중 누군가에게 발견된다는 사실이야말로 참된 기쁨이다. 중요한 건 누군가 찾을 수 있도록 쉬지 않고 열심히 널려 있는 것이다.

20

시간을 멈출 수 없으므로, 일을 미루는 것은 언제나 시간 낭비다.

21

오스트리아의 산악인 헤르만 불Hermann Buhl이 홀로 낭가파르바트의 정상에 선 것은 1953년 7월 3일 오후 7시였다. 그는 캄캄한 밤에 등정보다 더 힘들다는 하산을 시작하지만, 엎친 데 덮친 격으로 아이젠 한 짝을 잃어버린다. 아무것도 보이지 않아 더는 하산할 수 없었던 불은 별수없이 비바크biwak를 한다. 양발을 겨우 디딜 공간만 있는 절벽에서 등산용 스틱 두 개와 아이젠 한 짝만을 신은 그는 꼿꼿이 선 채 밤을 지새운다. 등반사상 가장 유명한 비바크다. 아래는 그 장면을 묘사한 부분이다.

지금 내게는 추위를 막을 비바크색biwak sack도, 추락을 예방해주는 확보용 자일seil도 없으나, 앞으로 다가올 밤이 조금도 무섭지 않았다. 이상하리만큼 마음이 편안했다. 모든 일이 그저 당연하기만 했다. 이렇게 될 수밖에 없었다. 처음부터 알고 있었던 것 아닌가?*

그는 잠들면 죽는다고 스스로를 다그치면서도 깜빡깜빡 잠이 든다. 그때마다 자신이 서 있는 곳을 확인하고는 소스라치게 놀란다.

발밑에는 시커먼 지옥이 입을 벌리고 있었다. 하늘에는 아직 별이 있었다. 날이 밝지 않았나 보다. 나는 애타는 마음으로 해가 떠오를 지평선에 시선을 던졌다. 마침내 마지막 별도 흐려졌다. 동이 트기 시작했다.

그의 낭가파르바트 초등은 등반사에서 유례없는 사건이었다. 배낭도 산소통도 없이 혼자 정상에 올랐다가 살아서 돌아왔다는 사실과 절벽 끝에 서서 버틴 비바크가 너무 초현실적이라 사람들은 한동안 그의 말을 믿지 않았다고 한다. 특히 29세 청년이 41시간 만에 노인이 되어버린 초등 직전과 직후 사진의 대비는 이 신화를 더욱 빛나게 한다. 헤르만 불처럼 시간을 왕창 당겨 쓰는 사람들이 있다. 대개 이런 사람들이 역사를 바꾼다.

✤ 헤르만 불, 김영도 옮김, 《8000미터 위와 아래》, 수문출판사, 1996.

22

예인선은 크기가 작지만, 수십 배나 더 큰 선박을 끌고 간다. 큰 배가 끌려가는 이유는 마찰이 적어서다. 세상에 밀착한 사람은 쉽게 끌려가지 않는다. 구근처럼 깊이 착종한 사람들은, 아무리 작고 보잘것없어도 절대 끌려가지 않는다. 오히려 무언가를 예인해간다.

23

희망이란 본래 있다고도 할 수 없고 없다고도 할 수 없다. 그것은 마치 땅 위의 길과 같은 것이다. 본래 땅 위에는 길이 없었다. 지나가는 사람이 많아지면 그게 곧 길이 되는 것이다. (루쉰)

아무도 가지 않은 길을 처음 간 사람이 대단하다고 평가받지만, 나는 뒤따라간 사람들이 더 위대해 보인다. 추종자들은 초행길의 곤경과 흉흉한 소문을 들었음에도 길을 나섰을 것이다. 결국 그들이 길을 만들고, 희망을 입증한다.

✣

지금 무엇을 보는가

보이는 것이 앞으로 펼쳐진 길이다

꽃을 보는가

꽃길이다

자갈을 보는가

자갈길이다

혐오를 보는가

혐오로 둘러싸인 길을 만날 것이다

사람은 보는 만큼 산다✤

✤ 박용재의 시 〈사람은 사랑한 만큼 산다〉에서 착상했다.

24

사진집 《윤미네 집》(전몽각, 포토넷, 2010)에서 젊디젊은 아빠와 핏덩어리 딸이, 구부정한 노인과 꽃다운 신부로 변해버린 마지막 컷을 보면서 굉장히 슬픈 느낌이 들었다. 책을 다 본 후 뒷면에다 연필로 메모를 남겼다. "人生의 덧없음, 그러나 남겨진 것들은 얼마나 아름다운가!"

인생이란, 남겨질 아름다운 것들을 위해 끝없는 무상함을 견디는 과정이다.

25

늦게 퇴근해 간단히 요기하고 TV를 본 후 샤워를 한다. 화장실이 지저분하다. 청소한 지가 언제인지 가물거린다. 큰맘 먹고 나일론 솔로 물때를 박박 지우고, 배수구 덮개에 한 움큼 엉겨 붙은 머리칼도 뜯어낸다. 청소를 마치고 거울에 비친 듬성듬성한 머리숱을 한참 살펴본다. 영양제를 한 주먹 가득 입에 털어넣고 침대에 눕는다. 낡은 냉장고에서 오래된 발전기 소리가 난다. 잠이 오지 않는다. 장영희 교수의《문학의 숲을 거닐다》(샘터사, 2005)에 나온 환생한 주인공의 절규가 떠오른다.

삶의 대부분은 자잘한 일상의 반복이다. 어처구니없지만 이게 삶이다. 판사의 일이나 재판이 대단할 것 같지만 1년만 반복하면 금방 질린다. 권태와 무력감, 무료함과 허무가 수시로 엄습한다. 그러나 조금만 냉정하게 생각하면 무료는 행복의 최소한의 조건이다. 급하게 처리할 일이 있거나, 깊은 고통을 겪거나 두려운 무언가에 쫓기는 상황은 아니라는 말이다. 무료는 자신의 실감 외에는 행복의 다른 모습이 거의 꼴을 갖춘 상태다. 아픈 사람이나 가난한 사람은 무료할 틈이 없다. 말장난 같지만 무료는 행복에 추가 비용이 들지 않는 상태다. 무료한 이가 누리는 그 하찮은 일상이 누군가에게는 엄청난 고가이거나 억만금을 주고도 살 수 없는 것이다.

오늘 죽음을 맞이해야 하는 사람이라면, 아이를 배웅하고, 교통신호를 위반하다 딱지를 떼이고, 길을 걷다 구정물 세례를 받고, 공과금 통지서를 들고 은행 창구에 길게 줄 서고, 천 원을 아끼려고 멀리 있는 마트까지 가서 찬거리를 사오는 것 따위의 일이 얼마나 그립겠는가.

심하게 아프거나 생의 끝자락에 서보면 버킷리스트는 사실 별 의미가 없다. 혼자서 마트를 가든 화성을 여행하든 무슨 차이가 있겠는가. 인생의 버킷리스트는 'to do'가 아니라 'to feel' 리스트다. 이별을 목전에 둔 이는 사랑하는 사람을 감각하는 일 외에 바라는 게 없다. 그저 조금이라도 더 보고, 더 껴안고, 더 곁에 있고 싶다. 15초가 아니라 단 1초라도 고통과 슬픔 없는 일상을 만끽하고 싶다.

이런저런 생각에 몸을 뒤척인다. 갈수록 눈이 말똥거린다.

투덜이 스머프처럼 삶을 향해 왜 이리 불평만 했는지 도무지 모르겠다. 고민이 많아도 그렇지만 너무 행복해도 잠은 오지 않는다. 03:19 관사다.

26

나는 언제 가장 기쁜가? 기쁘고 보람찬 순간을 인지하는 건 중요하다. 계속 그렇게 살려고 노력할 수 있어서다. 나는 타인으로부터 능력을 인정받을 때 기뻤다. 내 자리에 맞는 일을 충실히 수행했을 때, 작은 일이라도 계획대로 이루었을 때, 가족들에게 쓸모 있는 사람이었을 때, 인정받고 존경받을 때, 타인에게 무언가 베풀었을 때, 하고 싶은 일을 했을 때, 좋은 글을 읽었을 때 기뻤다. 좋은 글을 썼을 때는 뛸 듯이 기뻤다. 깨달음을 얻었을 때 기뻤고, 일상에 충실하면서도 자유로움을 놓치지 않고 있다고 느꼈을 때 기뻤다. 교만이나 허세, 위선에서 벗어나 진아眞我를 마주했을 때, 마음이 평온하고 내면으로 깊이 침잠했을 때 기뻤다. 이런 모든 기쁜 것이 무엇인지를 이해하고, 이런 모든 것에 기쁨을 느낄 수 있다는 그 사실을 인지하고 있는 상태가, 무엇보다 나를 기쁘게 했다.

27

가장 행복한 사람은 가장 사랑하는 이와 최근거리에 있는 사람이다. 가장 불행한 이들은 가장 사랑하는 이와 멀리 떨어진 사람이 아니라, 가장 가까이에서 서로 미워하는 사람들이다. 사물이든 사람이든, 용도와 존재 이유가 악용되거나 역전된 경우는 정말 최악이다.

✣

타인의 불행은 내 삶의 방향을 돌아보게 하고, 나의 불행은 삶의 진로를 급격히 바꾼다. 위기가 삶을 위축시키고 급선회하게 만든다. 몸이 아프면 건강만 보인다. 내가 소년재판을 할 때는 공부고 뭐고, 오직 내 아이들이 사고 치지 않고 바르게 자라는 것만 바랐다. 불행이 욕망을 제어한다.

28

탈리오법은 현대의 재판관들에게 각각의 사건에 맞는 동해(同害, talio)를 찾는 과제를 부여하고 있다. 탈리오법을 응보형론에 좁게 가둘 필요가 없다. 인지와 문명이 발달하면 교육형도 동해보복의 범주에 포섭될 수도 있을 것이다. 성경에서도 원수에게 먹을 것 마실 것을 주는 것이 오히려 숯불을 머리에 쌓아놓는 보복이 된다고 적혀 있는 것처럼.*

기계적인 응보주의나 복수심에서 벗어나야 한다. 사랑을 확장 해석하듯 복수도 발전적으로 해석할 수 있어야 한다. 판사의 양형이 이 시대의 고유하고 적절한 동해를 찾는 과정이듯, 모든 사람이 자신만의 동해를 찾아야 한다. 단순한 복수심은 대단히

* 김용담,《김용담 대법관의 판결 마지막 이야기》, 누름돌, 2009.

파괴적인 감정이라서 사태를 악화시키고 세상을 황폐하게 만들 뿐이다.

진정한 의미에서 최고의 복수는 너 자신이 보란 듯이 멋지게 사는 거야. 그러기 위해서는 뭔가 자격증이라도 따야지. 예를 들어 네가 미워하는 애가 상업부기 3급 자격을 가지고 있다고 치자. 그렇다면, 넌 2급을 따거라. 상대가 2급이면 넌 1급을 따고. 그렇게 되면 상대를 이겼다는 생각에 마음도 후련해질 테고, 결국은 너 자신을 위하는 일도 되는 거야. 이거야말로 최고로 멋진 복수라고 생각하지 않니?**

자신을 따돌리고 괴롭힌 친구들 때문에 할복을 하고, 부모와 세상 모든 사람을 증오하던 오하라 미쓰요에게 은인이 한 말이다. 그에게 최고의 복수가 된 동해는, 사법시험 합격이었다. 얼마나 멋진 복수인가.

** 오하라 미쓰요, 김인경 옮김, 《그러니까 당신도 살아》, 북하우스, 2010.

29

트럼프 집권 이후 지금까지 전 세계는 그야말로 '백래시backlash'의 시대라 부를 만하다. 차별과 혐오의 세월을 넘어 제법 멀리 왔다고 생각했는데, 거짓말처럼 시대를 거슬러 제자리로 돌아왔다. 세상이 이전으로 회귀하지 않으리라는 믿음이 사실은 얼마나 허술한 것이었는지 세계 곳곳에서 입증되고 있다. 음악이나 패션이 복고풍 유행을 타듯 정치나 인권에 대한 입장도 돌고 돌 수 있다는 사실이 여전히 잘 믿기지 않는다. 도대체 이 지긋지긋한 악순환은 어디서 비롯된 것일까. "역사가 반복되는 것이 아니다. 사람이 반복되는 것이다"라는 볼테르Voltaire의 말에 따르면 결국 사람이 변하지 않기 때문인가.

근대 형법 이론에서 형벌의 주된 목적은 응보에 있다. 응보형은 보복하되 과도하지 않게 함을 주된 내용으로 한다. 응보 외에도 교화를 통한 범죄의 예방이 형벌의 또 다른 목적으로 취급

되지만, 그럼에도 보복에 대한 집착은 강하고 질겨서 지금도 법감정의 대부분이 응보에 있다고 해도 지나친 말은 아니다. 문제는 응보로 세운 정의는 세상이 무너지지 않게 하는 최소한의 장치일 뿐, 세상을 더 나은 곳으로 밀어올릴 동력은 되지 못한다는 점이다. 눈에는 눈으로 대응하는 세상에는 눈먼 자들만 남고, 총에는 총으로 맞서는 사회에는 총기사고로 숨지는 아이와 시민의 비명이 끊이지 않는다.

잘 알려져 있듯 응보형의 기원은 역사상 최고最古로 알려진 함무라비 법전이다. 그러나 가장 오래된 법전은 수메르 우르 제3왕조의 창설자(재위 B.C. 2124~2107)의 이름을 딴 '우르-남무Ur-Nammu' 법전이다. 함무라비 법전보다 300년 정도 앞선다. 우르-남무 법전에는 "고아가 부자의 먹이가 되지 않고, 미망인이 강한 자의 먹이가 되지 않으며, 1세켈을 가진 이가 1미나(60세켈)를 가진 이의 먹이가 되지 않도록 할 목적으로 만들어졌다"고 적혀 있다. 함무라비 법전의 중심 사상이 동해보복인 데 반해, 우르-남무 법전은 한 계급이 다른 계급을 착취하지 못하게 할 목적으로 만들어졌고, 보복이 아니라 보상을 정의의 법칙으로 받아들였다(박철 변호사).

슬픔과 분노, 복수심은 악과 불의의 완력에 맞설 강력한 힘과 의지를 준다는 점에서 중요한 감정이다. 그러나 이것들은 대단히 다루기 힘들고 파괴적이어서 삶이라는 배의 주 연료로 삼아서는 안 된다. 슬픔과 분노는 세심한 정제가 필요한 보조 연료이자 배의 균형을 잡아주는 밸러스트일 뿐이다. 주 연료는 어디까지나 사랑과 관용 같은 것이어야 한다. 이것들은 아무리 지나쳐도 그 누구도 해치지 않기 때문이다.

미셸 오바마가 말했듯 세상을 더 좋은 쪽으로 바꾸려면 "그들이 저급하게 가도 우린 품위 있게 간다When they go low, we go high"가 이상적인 삶의 자세다. 비록 거기까지는 힘들더라도, 눈에는 코, 이에는 빰이 될 수 있어야 한다. 주먹에 가슴이 되면 더욱 좋다. 아무리 생각해도 후퇴하고 나아가는 건 역사가 아니라 누군가의 의지다. 복수심보다 더 해로운 건 냉소와 체념이다. 가장 큰 자이언트 스텝은 실패 뒤 일어서서 내딛는 첫걸음이다. 힘들고 실망스럽더라도 다시 가자. 희망은 거시적으로, 실천은 미시적으로, 그런 마음으로 가자. 절대 뒤돌아보지 말고.

30

드라마 〈워킹 데드〉의 주인공 릭 그라임스(앤드루 링컨)의 아들 칼(챈들러 리그스)은 폭력과 학살뿐인 세상에서 자랐지만, 평화적인 해결을 꿈꾸다 죽는다. 칼이 무력만 우선시하는 릭에게 계속 강조했던 말이 있다. "끝나도 남는 게 있어야 해요."

"이것 또한 지나간다"는 아포리즘은 절대적이다. 시간을 이길 수 있는 건 없으니 모든 건 지나가기 마련이다. 중요한 건 결국 지나가고 만다는 당위가 주는 안도감이 아니라, 파도가 지나간 뒤에 남는 것이다. 칼의 말이 옳다. 싸움이 끝난 자리에 무언가 의미 있는 게 남지 않는다면 처음부터 싸울 필요조차 없었던 것이다.

31

미투와 정치적 올바름이 부각되면서 법적 · 도덕적 잣대와 사회적 책임의 하한이 급격히 올라갔다. 각광을 받다가도 잘못된 행동 하나면 하루아침에 비난과 경멸의 대상이 된다. 사랑한 이가 배신하면 더 밉다. 누군가를 마음 놓고 좋아하기 어려운 시절이다. '좋아해도 좋을 사람'이 점점 귀해진다. 좋은 사람보다 '좋아해도 좋을 사람'이 되고 싶다.

32

상품이 화폐로 변환하는 과정을 '생사를 건 도약'이라고 표현했던 마르크스의 견해를 대학원 학생들에게 설명하는데 다들 의아한 눈빛이었다. 가령 사랑도 그러하다. 건조하던 두 남녀가 갑작스럽게 자신들이 연인이라고 느끼는, 순간적이지만 절대적인 도약의 시간이 있다.✤

사랑만이 아니다. 살다 보면 생사를 건 도약이 필요한 때가 있다. 뛰어내리면 죽을 것 같지만, 희한하게도 주저앉을 때 죽는 경우가 더 많았다. 경험에서 말하건대, 인생은 항상 다음 모퉁이에서 끝난다. 절망도 항상 다음 모퉁이 너머 있다. 그러니 여기서 미리 주저앉지는 말자.

✤ 이명원, "글쓰기와 몸쓰기", 〈한겨레〉, 2007. 5. 30.

마그넷이 다 떨어질 때쯤이면,

우린 아마 헤어지겠지

1

그녀가 갑자기 울음을 터뜨리려 할 때, 눈물이 채 떨어지기 전에, 황급히 손등으로 눈을 틀어막는 그녀를 볼 때.

쿵 하고 가슴이 내려앉거나, 쾅 하고 뒤통수를 얻어맞는 순간이 있다. 인생의 중요한 순간은 대부분 이때 결정된다.

2

2020. 12. 26. 아침에 쓰러짐

2020. 12. 28. (해운대 백병원 중환자실에서)

기가 막힌다. 돌겠다.

✣

평범한 일상이 수많은 우연과 필연의 산물이라니! 병이 주는 작은 위안은, 평범한 순간에는 좀처럼 해결하기 어려운 고민을 단숨에 돌파하게 해준다는 데 있다. 병은 혼란스럽기만 했던 삶의 우선순위를 확실하게 정리해준다. 너무 명확해서 싱거울 정도다. 가치의 불명료함 때문에 헤맨 게 아니라, 시간의 유한함을 망각해서 헤맨 것이다. 마감이 임박하면 만사를 제쳐두듯, 남은 시간이 딱 정해지면 버킷리스트는 재빨리 자동 정렬된다. 글이 이럴진대 생의 마감을 앞두고 이렇게 살았다니. 이 터무니없는 어리석음이란!

병을 앓는 분들에게 죄송한 말이기는 하나, 병 하나는 있어야 생이 아름답다는 이성선 시인의 시구(〈우황〉)에 전적으로 동의한다. 이 시의 함의를 알긴 했지만 실제 병을 앓기 전에는 배부른 소리라고 일축했다. 내 몸이 아프고 나서야 깨달았다. 상처와 병이 깊을수록 생의 정수, 핵심과 주변부의 경계가 또렷이 보인다. 평소 알고 있었지만 절실하지 않아 시야가 흐려진 것이다.

3

정말 단 한 가지도 전망할 수 없다. 슬프고 두렵지만 죽음을 대비해야 한다. 막상 불행을 맞닥뜨려보니 죽음을 제외한 일체의 전망이 부질없다. 절대 악이 등장하니 나머지 빌런은 시시하다. 준비해야 한다. 쓰나미 같은 죽음에 속수무책으로 당하지 않으려면.

4

갑자기 아프니 자기연민만 늘었다.《D에게 보낸 편지》를 읽다 문득 떠오른 생각. 이제야 내가 측은한 이유를 분명히 깨달았다. 당신이 측은해서다. 나는 나를 측은해하는 당신이 측은해서 견딜 수가 없다.

갑작스러운 중병으로 생의 마지막에 선 남자의 말이다. "너는 나보다 30~40년은 더 살겠지, 라는 생각을 하니 나는 네가 불쌍해서 너무 슬펐다. 남은 일생 동안 나는 너로 온전히 꽉 찬 삶을 살겠지만…" 시차가 너무 많이 벌어지는 사랑은 잔인하다. 그래서 더 간절하겠지만. 고르스는 도린이 아니라 자기가 불쌍해서 자살한 거다.

✣

죽음이 다가오자 비로소 삶이 진지해졌다. 죽음 앞에서 허세란 없다.

5

환복을 하고 MRI 검사실 앞 의자에 앉아 멍하니 순서를 기다리고 있는데, 옆에서 칠순쯤 되어 보이는 아버지가 딸에게 혼나고 있었다.

식사도 제때 안 하고, 술 마시고, 운동도 안 하고, 도대체 아빠는 생각이 있냐고, 그렇게 혼나고서도 또 이러냐고. 아빠가 계속 이러면 앞으로 병원에 같이 오지도 않을 거라고.

혼나는 아버지도 혼내는 딸도 얼굴에는 큰 동요가 없었다. 그 옆에 있는 어머니와 아무 상관없는 나는, 그 광경을 흐뭇하게 쳐다봤다.

세상에서 제일 다정하게 욕하는 딸을 보며 나는, 어릴수록, 늙을수록, 꾸중하고, 타박해주는 사람이 있어야 하는구나, 사람은 욕먹으며 성장하고, 욕먹으며 이별하는구나, 생각했다.

6

6개월 치 약을 타오며 언제 다 먹지 했는데, 어느새 약이 떨어져 오늘 다시 병원에 갔다. 검진을 한 뒤 처방전을 받아 단골 약국에 갔는데, 큰 병원 옆 약국은 변함없이 줄이 길었다. 약은 많고, 아픈 사람도 많다. 대부분 노인이다. 그 틈에 섞여 약을 기다리는데 다들 나를 흘낏흘낏 쳐다본다.

비닐봉지 가득 한 아름 약을 담아 나오다, 언제 약이 떨어질까 셈해본다. 아픈 다음부터 날짜를 셈하는 방법이 하나 더 늘었다. 약봉지 카운트다. 혹시 복용을 잊어버릴까 월요일마다 일주일 치 약을 서랍에 넣어두고 매일 먹는다. 이러면 이중으로 먹거나 빠뜨리지 않는다. 서랍에 든 약이 사라지면 일주일이 가고, 큰 비닐에 든 약이 떨어지면 6개월이 간다. 새로 약을 탈 때쯤이면, 부산에는 단풍이 곱게 들어 있을 것이다.

7

중환자실에서 나는 상대적으로 행복한 편이었다. 며칠 후 일반 병실로 옮기자 그 즉시 불행한 축에 속했다. 당시 나는 무척 침울했는데, 갑작스러운 입원으로 인한 우울감도 있었지만 그보다는 행과 불행이 고작 이런 것인가 하는 어이없음과 그런 상황에 즉각 반응하고 마는 내 감정의 속물성이 더 싫었던 것 같다.

✣

담대하게, 지독하게.

이렇게 한번 살아보고 싶다.

8

한때 나는 거친 세상을 매끄럽게 갈고 깎아내는 사포나 정이고 싶었다. 착각이었다. 세상이 사포였고 내가 나무였다. 아니, 서로가 사포였다. 나는 매끈하게 다듬어졌다. 나는 내가 싫어졌고 점점 자신이 없어졌다. 세상의 작은 모서리 하나 갈아내지 못하는 사포라는 자각은 언제나 힘들다. 아니, 어쩌면 더는 사포도 아니다.

✣

조동진의 노래 〈제비꽃〉의 가사처럼 아주 작은 일에도 눈물이 난다. 왜 그럴까. 일기일회一期一會. 앞으로 다시는 마주할 수 없을지도 모른다는 생각이 머릿속을 떠나지 않는다. 나란 존재는 눈물로 구성된 것인가.

9

내가 겪은 고통 중에 가장 견디기 어려웠던 건 소외되고 배신감을 느꼈을 때였다. 사랑하고 믿었던 사람들이 나를 썩은 환부 도려내듯 싹 도려냈다는 생각, 버림받았다는 느낌이 들 때였다. 살을 에는 추위보다 더 비참하고 아팠다. 이럴 때면 절망감보다 당혹감이 먼저 온다. 왜 이렇게 되었을까 자책한다. 심리적 공황이 뒤따른다. 한참 동안 머리가 멍해지다 가슴이 빠개지는 아픔이, 부정맥처럼 반복된다. 그마저 지나가면 나는 완전무결하게 조락凋落한다.

10

살아진다는 말처럼 슬픈 말이 있을까. 살아봐, 그러다 보면 살아지는 거야. 이렇게 살다 보면, 살아지다 보면 자신의 존재는 사라질지 모른다. 마흔조차 실감하기 힘든 나이였는데, 어느덧 쉰을 훌쩍 넘겼다. 쉰 언저리가 다 되어 책을 썼다. 돌아보니, 그 글을 쓰기 전까지는 무려 48년을 사라지며 살았다.

11

상실은 우리에게 그 일의 가치를 가르쳐준다. (쇼펜하우어)

건강, 돈, 행복, 평온… 사람들의 꿈은 대개 비슷하다. 그러나 꿈의 세부적인 모습은 각양각색이다. 소년부로 오는 아이들의 가장 흔한 꿈은 좋은 아빠와 좋은 엄마 되기다. 중병에 걸리거나 생명에 위협을 느끼는 사람들은 노인 되기를 꿈꾼다. 내일이 오고, 일주일 뒤에 필 벚꽃을 보고, 한 달 뒤에도 여전히 카드값을 낼 수 있기를 바라는 사람들도 있다.

꿈은 미래를 향한 것이지만, 과거에 얽매이기도 한다. 미래를 그리는 꿈이 구체적이지 못한 이유는 한 번도 경험하지 못했기 때문이다. 반면에 과거를 향한 꿈은 세밀하고 절실하다. 쇼펜하우어의 말처럼 상실한 이보다 잃어버린 것의 가치를 더 잘 아는 사람은 없다.

12

지금 내 모습을 과거의 내가 보면 얼마나 기뻐할까.

그런데 정작 지금의 나는 왜 기뻐하지 않는 거지.

초심이란, 처음 먹은 마음이 아니라 이미 흘러간 과거의 마음이다.

회상할지언정 지킬 수는 없다.

13

은성殷盛한 시절의 이야기는 언제 들어도 기분 좋다. 그러나 화양연화는 지금이 아니다. 모든 것은 항상 나중에 더 아름답다. 좋았던 시절을 회고하는 내레이션이 깔려야 화려한 날은 살아나고, 그 향기가 세상을 진동케 한다. 아무리 좋은 와인이라도 풋것은 낼 수 없는, 지금은 결코 느낄 수 없는 그런 향취다. 그러므로 현재는 그저 즐기는 것이고, 최고는 언제나 과거다.

14

나는 아이들에게 어떤 아버지로 기억될까. 담배 하나도 못 끊는 의지가 박약한 사람, 소리나 빽빽 질러대는 고약한 사람은 아닐까. 무책임하면서 책임감 있는 척, 사랑이 부족하면서도 넘치는 척, 제 한 몸 챙기기 바쁘면서 가족을 위해 희생하는 척, 하는 사람으로 비치는 건 아닐까. 그렇게 생각한다 해도 딱히 항변할 말이 떠오르지 않는다.

나는 이만치 떨어져 아이들과 아내를 잠시 바라보다 이내 먼 산으로 시선을 돌렸다. 아버지가 왜 그렇게 허공이나 엉뚱한 곳을 자꾸 쳐다봤는지 이제는 알 것 같다.

15

우리 집 냉장고에는 각종 여행지에서 사온 냉장고 자석이 빼곡히 붙어 있다. 옐로스톤의 올드 페이스풀에서 온천수가 치솟고, 바이슨이 콧김을 뿜으며 씩씩거린다. 방콕 거리에는 툭툭이 달리고, 빅벤에서 종이 울릴 때쯤 오사카성에는 고운 달이 걸린다.

그러고 보니 우리 생의 좋은 시절 대부분이 냉장고 문짝에 있다. 우린 이제 멀리 떨어졌지만, 아름다운 추억은 마그넷처럼 붙어 있다. 간혹 자력이 다해 툭툭 떨어지기도 하지만, 그래도 아직까진 덕지덕지 잘 붙어 있다. 마그넷이 다 떨어질 때쯤이면, 우린 아마 헤어지겠지.

16

멀리 있는 글씨가 안 보여 고생했는데, 점점 가까운 글씨도 안 보인다. 노안이다. 이젠 안경이 두 개 필요하다. 장경린 시인의 표현처럼 안경은 시력의 교정이 아니라 시력의 왜곡이다.* 삶이란 눈이 멀 듯 무언가로부터 점점 멀어지는 과정이다.

* 〈손에 강 같은 평화 2〉, 《토종닭 연구소》, 문학과지성사, 2005.

17

세상에 새로운 이야기는 없다. 인생은 클리셰 범벅이다. 경험할 수 없다는 점에서 진부하지 않은 유일한 것은 죽음뿐이다. 진부함을 벗어나는 순간 인생이 끝나는 아이러니가 잔인하다.

18

나는 죽음이 두렵지 않다. 나는 태어나기 전 영겁에 걸친 세월을 죽은 채로 있었고, 그 사실은 내게 일말의 고통을 준 적이 없다. (마크 트웨인)

우리는 왜 죽음을 두려워하지 않아도 되는가? 우리가 존재하는 한 죽음은 현존하지 않으며, 죽음이 현존할 경우 우리는 더 이상 존재하지 않기 때문이다. (에피쿠로스)

이 말들이 과연 위안이 되는가. 글쎄. 이 말은 맞지도 않는 것 같다. 나와 동일시할 수 있을 정도의 타자가 존재하는 한 그가 죽음으로써 나도 죽는다. 나는 살아 있으면서 죽음을 체험할 수 있다. 그 역도 존재한다. 멋진 삶이라면 죽은 뒤에도 강렬한 잔상으로 현존한다. 우리가 삶을 아름답게 채우려고 노력하는 이유는 바로 이 잔상 때문이다. 죽음이 정말 두려운 것은 자신의 삶을 자기 스스로 해명할 수 없기 때문이다. 열심히, 최대한 명예롭게 살아야 하는 이유다. 죽음에 관한 아포리즘 중에 내가 좋아하는 것은 이 말이다.

죽음이란, 날마다 밤이 오고 해마다 겨울이 찾아오는 이치와 같이 피할 수 없는 일이다. 밤이나 겨울이 다가오면 우리는 준비를 한다. 그렇듯 죽음에 대한 준비는 단 하나밖에 없다. 훌륭한 인생을 사는 것이다. 우리가 훌륭한 인생을 살면 살수록 죽음은 더욱더 무의미한 것이 되며, 그에 대한 공포도 없어진다. 그러므로 성자에게 죽음이란 있을 수 없다. (러스킨)

19

우리가 보는 별 중에는 죽은 별도 있다. 별의 생사를 우리는 알 수 없다. (영화 〈더 임파서블〉)

우리가 별의 생사를 알 수 없는 이유는 거리와 시간 때문이다. 거리와 시간이 무한히 흐르면 생과 사는 무의미하다. 빛만이 중요하다. 한때 얼마나 찬란히 빛났는가. 그 강렬함의 정도에 따라 존재의 지속 시간이 정해진다. 빛은 계속 나아가므로 발광체는 사라졌지만, 빛은 여전히 남아 있다. 사멸했지만 사멸하지 않은 상태다. 사람도 다르지 않다.

20

엘라 피츠제럴드의 노래로 잘 알려진 콜 포터Cole Porter의 명곡 〈Every Time We Say Goodbye〉는 가사가 의미심장하다. "이별은 장조에서 단조로의 변화고, 이별할 때마다 조금씩 죽는다"는 가사는 대단히 아름답고 시적이다. 실제 이 곡은 A♭ major로 시작해서 A♭ minor로 끝난다. 이 곡을 들으면서 최고의 죽음은 그저 장조에서 단조로의 변화 같은 것이 아닐까 생각했다.

갑작스러운 이별은 모든 것을 쓸어버린다. 파괴적인 이별의 후폭풍에서 살아남으려면 매일 이별하며 조금씩 죽고, 그 작은 죽음들을 적립해둬야 한다. 슬픔의 사태에 쓸려가지 않도록, 슬픔을 미분하고 작게 잘라 차곡차곡 모았다가 매일 버려야 한다. 그러면 죽음이 닥쳐도 장조에서 단조로 변하듯 약간의 슬픈 정조만 남는다. 그래야 품위 있게 견딜 수 있다. 물론 그 정도의 슬픔조차 감당하기 쉽지 않겠지만.

✣

사멸한 뒤에도 계속 남아 결국 죽음조차 극복하는 건 사랑이 아니라 아름다움이다. 사랑이 존속할 수 있는 것도 아름답기 때문이다.

21

한 남자의 아내가 유방암에 걸려 유방절제술을 받았다. 어느 날 그는 머리카락도 다 빠지고, 팔을 들어올릴 힘조차 없는 아내 대신 화장을 해줬다. 아내가 시키는 대로, 정성껏 기초화장을 하고 떨리는 손으로 마스카라를 칠하고, 립스틱을 바른다. 화장이 끝나고 손거울을 비추자, 거울 속 아내는 발그레한 미소를 짓고, 남자는 거울 뒤에서 운다.

이 이야기를 들은 후, 화장해주는 남자와 여자의 이미지가 지워지지 않았다. 병 수발을 들며 대소변을 받았다는 이야기는 종종 들었지만, 병든 아내에게 화장을 해준 이야기만큼 슬프지는 않았다.

인간의 존엄이라는 건, 어쩌면 화장 같은 것이 아닐까. 없어도 죽진 않지만, 없으면 죽고 싶은 마음이 드는 것.

✣

팔순을 훌쩍 넘긴 어머니가 새 옷을 입고 활짝 웃는다. 그 모습이 예상외로 곱디곱다. 나는 회한으로 가슴이 미어진다.

22

아무리 비범한 사람도 할 수 없는 일이 있다. 본인의 부고를 쓰는 일이다. 2022년 11월 11일 누구보다 성실하고 훌륭한 판사이자, 여섯 살, 다섯 살 두 아이의 다정한 아빠이던 정의철 판사의 본인상 부고를 누군가 코트넷에 올렸다.

2019년 임용된 정의철 판사는 울산지방법원 근무 중 심장 두근거림과 어지럼증 등으로 응급실에 입원했다가 급성 골수성 백혈병(AML) 진단을 받았고, 1차 항암치료를 받던 도중 사망했다. 정의철 판사는 입원하기 3주 전인 추석 연휴에도 밤늦도록 일했고, 혈소판 수치 저하로 응급 수혈이 필요한 상태에서도 입원 2주 전까지 야간 및 휴일 근무를 수시로 했다.

매년 9월 13일은 법원의 날이다. 이날 헌신적으로 직무를 수행하고, 법원의 위상을 드높인 분들에게 대법원장이 표창을 수여하는데, 최근 5년간 수상자는 다음과 같다. 2019년 이승윤 판사, 2020년 박주영 부장판사, 2021년 이대연 부장판사, 2022년 윤희찬 부장판사, 2023년 정의철 판사. 물론 상을 받고 돌아가신 게 아니라 돌아가신 분들께 드린 것이긴 하지만, 이 다섯 명 중 생존자는 나 혼자다. 나 역시 수상하고 석 달 보름 뒤에 쓰러졌다.

법원 내부에서는 익히 알려진 내용이지만 판사들 중 상당수는 만성적인 과로 상태에 있다. 특히 형사재판부는 기피부서다. 사람을 가두고 풀어주는 걸 판단하고 결정하는 일은 엄청난 스트레스를 주기 때문이다. 형사재판부 중에서도 형사합의부는 살인이나 거액의 재산범죄, 심각한 성범죄나 국민참여재판 등 중한 범죄를 처리하고, 구속사건이 많아 스트레스가 가장 심한 부서로 알려져 있다. 1심 구속 만기 6개월 동안 재판을 끝내지 못하면 살인, 강간 등 흉악범을 석방해야 하는 문제가 발생해서다.

근자에 들어 법원의 일 처리가 늦어지자, 판사들이 워라밸만 챙기며 편하게 일한다고 다들 성토하지만, 보다시피 재판 도중 사망하거나 몸을 다치는 판사들이 지금도 속출하는 실정이다. 2020년 울산지방법원 형사합의부 재판장은 나였고, 좌배석이 바로 정의철 판사였다. 그가 그립다.

✣

단독의 죽음은 없다.

모든 죽음은 복수다.

페이지를 넘기면 한 생이 넘어간다

1

영화 〈범죄도시〉의 한 장면처럼 인적이 드문 곳에 세워진 차, 버려진 검은 봉지 따위는 엄청나게 공포스럽다. 익숙한 사물이지만 있어선 안 되는 장소에 놓이거나, 담겨선 안 되는 것이 담겨서 그렇다. 공포는 특별하고 기괴한 것이 아니다. 사물과 상황의 재배치만으로 공포감을 줄 수 있다. 유머도 마찬가지고 시도 마찬가지다. 창작이나 예술은 새로운 걸 만드는 것이 아니라 익숙한 것들을 다시 배치하는 것이다.

2

형사재판을 오래 하다 보니 범죄자의 삶에 관심이 많다. 실화, 소설, 영화를 가리지 않는다. 액션, 멜로, 다큐, 장르도 불문. 니시카와 미와 감독의 〈멋진 세계〉는 그중에서 손꼽을 만한 작품이다. 영화를 보는 내내 흠씬 두들겨맞는 느낌이었다. 영화가 끝나자 목젖과 눈알이 아팠다. 좋은 영화는 2D로 찍어도 4D의 효과를 내는 건가. 영화의 성취에는 미카미를 연기한 일본의 국민배우 야쿠쇼 고지의 연기를 빼놓을 수 없다.

전직 야쿠자인 미카미는 사생아로 태어나 14세에 소년원을 가고, 살인죄로 13년을 복역한 후 출소한다. 그는 흉악한 전력이 믿기지 않을 만큼 눈처럼 담백하다. 누가 침 뱉으면 같이 뱉고, 찌르면 그도 찌른다. 호의를 베푸는 이에겐 다정하고, 뜻대로 되지 않으면 고함을 친다. 4세 무렵 어머니에게 버림받은 미카미는 어머니의 소재를 수소문하지만 끝내 찾지 못한다. 그날 그는 보육원 아이들과 축구를 하다 말고 모로 누워 운다.

미카미는 다 늙은 아이다. 법은 살인한 아이는 눈감아주지만, 아이처럼 천진한 살인범에게는 혹독하다. 교도소에 있느라 운전면허가 만료된 미카미는 면허를 갱신하려다 실패한다. 마침내 세상에 적응하고 그토록 바라던 평범한 일상을 얻는 미카미. 그러나 운전면허 갱신조차 버거운 그에게 삶을 갱신한다는 게 가당키나 한가. 오랜 복역으로 어긋나버린 시간은 아무리 시계 용두를 돌려도 맞출 수 없다. 미카미의 심정을 아는지 모르는지 눈은 푹푹 내린다. 장면들은 무심해서 아름답다. 살인범보다 더 비정하고 야비한, 구역질 나도록 멋진 이 세계의 민낯을 까발리는 게 영화의 의도라면, 완벽하다.

일주일에 수십 명의 전과자를 보는 내겐 지겨운 서사인데 왠지 무척 낯설다. 내가 본 사람 중에 이런 이는 없었다. 영화가 아무리 현실을 투사해도 발뒤축도 못 쫓아간다. 영상이든 글이든, 어떤 매체도 현실의 압도적 부조리와 방대한 고통의 데이터를 전부 담을 순 없다. 물론 그처럼 아름다울 리도 없고.

형사사법 국면에서 가장 주목받는 곳은 법정이다. 이게 문제다. 법정은 누군가 살해되어야만 열리는데, 이때는 늦다. 진짜 주목받아야 할 곳은 형사법정 이전과 이후, 범죄 예방의 영역이다. 그러나 사람들은 아직 벌어지지 않은 일에는 관심이 없다. 누군가 죽어야만 기사가 된다. 사전 예방은 그나마 조금씩 주의를 끌기 시작했지만, 재사회화를 통한 재범 방지라는 사후 예방에는 흥미가 없다. 범죄자에 대한 관심은 슬기로운 감빵생활까지다. 슬기로운 출소 후 생활에는 눈길조차 주지 않는다.

카메라가 미카미의 갱생을 도운 다섯 사람으로부터 경쾌하게 도약해 드넓은 창공에서 멈추면, '멋진 세계'도 끝이 난다. 같은 하늘 아래 어찌 선하고 고운 것만 존재하겠는가. 어쩌면 멋진 세계란, 잘난 사람, 못난 사람, 착한 사람, 못된 사람, 죄 없는 사람, 죄 많은 사람이 어지럽게 뒤엉켜 사는 곳 아닐까. 이런 생각, 저런 행동을 하는 수많은 사람이, 때론 시기하고, 때론 사랑하면서, 서로 멱살을 잡고 우당탕 우지끈 좌우로 휘청대면서도, 기어코 앞으로 나아가고야 마는 세계, 마치 물고기나 보드의 역동적인 움직임을 닮은, 그런 세계 말이다.

3

〈부에나 비스타 소셜 클럽〉의 음악과 그들의 이야기를 좋아한다. 쿠바라는 나라와 그곳에 사는 사람들을 좋아한다. 카리브해 때문인지, 체 게바라 때문인지는 알 수 없으나, 쿠바의 대기에는 삶을 낙관적으로 바꾸는 무언가가 있다. 쿠바에는 싱그러운 슬픔과 쾌활한 아픔, 화사한 어둠과 풍요로운 가난이 있다. 어떤 종류의 혁명이라도 쿠바에서라면 반드시 성공할 것 같은 예감이 든다.

4

블라디미르 호로비츠Vladimir Horowitz의 베토벤 비창 소나타 전곡을 들었다. 왜 호로비츠, 호로비츠 하는지 다시 깨달았다. 타건은 명징하면서 웅혼하다. 강약과 템포, 완급 조절이 완벽하다. 때론 영롱하게 때론 부드럽게, 때론 폭풍처럼 휘몰아친다. 단 몇 소절만으로 수많은 관객을 자신의 감정선으로 몰아넣는다. 과연 거장이다. 천재적인 젊은 연주자가 많지만 이런 연주를 할 수는 없다. 그들에게는 깊은 주름과 얼굴에 드리운 음영, 떨리는 손, 거친 호흡, 우울과의 기나긴 사투, 머지않아 사그라질 앙상한 생명이 담긴 굽은 등이 없기 때문이다. 거장의 필수조건은 시간이다. 공기에 산패되고 세월에 풍화된 수많은 호로비츠가 함께하는 연주를 능가할 수는 없다.

5

시를 좋아한다. 좋아하는 만큼 시인을 시기한다. 시인은 고약하고, 심술궂고 불친절한 최악의 기자다. 가로쓰기도 띄어쓰기도 완전한 문장도, 정확한 표현도 하지 않는다. 그러나 시인은 자연과 인간의 비의(秘儀, esoteric)를 끈질기게 관찰하고 추적하여 전해준다. 시는 자연과 인간에 대한 최고의 르포다.

6

시를 공부하지 않고서는 말할 게 없다. (不學詩 無以言, 논어 계씨편)

시는 인간의 가장 완벽한 발언. (Mattew Arnold, Wordsworth)

시 300편을 읽으면 생각에 사특함이 없다. (子曰 詩三百 一言以蔽之 曰思無邪, 논어 위정편)

소년범과 부모들에게 나눠줄 책을 엮으려고 시나 글귀를 모으고 있다. 다시 시에 관심을 가지자 무심코 지나친 것들이 새롭게 눈에 들어온다. 허투루 지나는 것이 단 하나도 없다. 시를 가까이하고, 자주 들여다보면 기막힌 체험을 한다. 사람과 사물, 자연에 깃든 모든 소리가 들린다. 바람이, 햇살이, 나무와 꽃이 말을 걸어오고, 주변 사물들 역시 가만있지 않고 한 마디씩 거든다. 어떨 때는 귀찮기까지 하다. 어깨에 내려앉은 햇살 한 줌이 희망의 말을 전하고, 바람은 창틈을 비집고 들어오며 객쩍은 소리를 낸다. 나무와 꽃들은 언제나 이 자리에 있을 테니 힘들 땐 주저 말고 찾아오라며 위로의 말을 전하고, 아내가 끓이고 있는 육수에도 희생하는 삶의 모습이 어른거린다. 누군가를 위해 제 한 몸 우려낸 진한 국물 같은 세상을 감지한다. 눈에 보이는 모든 것이 시어다. 조각조각 단어들이 이리저리 짝을 이룬다. 시로 보는 세상은 영롱한 조각보다.

7

〈패터슨〉은 좋은 영화다. 특히 도중에 나오는 '확성기 모양의 글씨가 적힌 성냥갑에 담긴 오하이오 블루팁 성냥'에 관한 시가 백미다. 일상이 시다. 성냥이, 담배가, 단단한 성냥갑이, 거기에 새겨진 아름다운 글씨체가 모두 시다. 아름다운 건 사물이 아니라 대상을 바라보는 눈이다. 비범한 눈으로 보면 성냥조차 특별해진다. 이 시에서 특히 좋은 건, 세심한 관찰자에게서 고유한 가치를 부여받은 성냥이, 첫사랑 여인의 담배를 위해, 그들의 사랑을 위해, 전과 같지 않은 세상을 위해, 중요한 임무에 복무한다는 거다. 이 자잘하지만 섬세하고, 흔하지만 고유한 것들의 아름다운 순환이, 가슴 벅차다.

8

사진은 발로 찍는다는 말은 120퍼센트 진실이다. 관념으로 만들 수 없는 사진이 좋은 사진이다. 최민식이나 김기찬의 사진이 그렇다. 제아무리 뛰어난 테크닉을 가진 작가라도 세상과 사람과 자연에 대한 깊은 사랑과 통찰, 무엇보다 삶과 사람에 대한 근면 없이는 좋은 사진을 찍을 수 없다.

9

앙리 카르티에 브레송(Henri Cartier-Bresson, HCB)의 《내면의 침묵》(김화영 옮김, 열화당, 2006) 중 에즈라 파운드Ezra Pound와 사뮈엘 베케트Samuel Beckett의 인물 사진은 굉장히 좋다.

결정적 순간, 사람의 내면을 낚아채는 HCB의 눈은 탁월하다. 그의 사진은 테크닉만으로 설명할 수 없는 귀기鬼氣가 느껴진다. 미끼를 무는 물고기를 표징하는 찌의 흔들림도 없이, 잔잔한 수면같이 분절 없는 삶과 자연의 연속적인 흐름 속에서 그와 같은 찰나를 끄집어낸다는 것은 얼마나 어려운 작업인가. 실로 사진은 기다림의 미학이면서 동시에 초고도의 감각을 요구하는 작업이다. 사진은 한 줄의 번뜩이는 시구고, 빛과 어둠으로 빚은 시간의 조각이다. 삶의 진면목을 작은 한 프레임으로 따내는 솜씨는, 시인이나 조각가에 견줄 만하다. 아니, 그 이상이다.

✣

다양한 해석이 가능하고 여러 의미를 함축하고 있는 텍스트가 좋은 작품이다. HCB의 사진이 시적이고 명징한 메시지가 있다면, 유진 스미스William Eugene Smith의 사진에는 많은 서사가 담긴 것처럼 보인다. 그래서 HCB의 사진은 아름답고, 유진 스미스의 사진은 훌륭하다.

10

재즈를 좋아한다. 재즈를 좋아하는 하루키를 좋아한다. 재즈는 마이너리티와 소수의 음악이다. 아니, 경계의 음악이다. 주류의 언저리에 있지만 주류로 편입하지 못한 자, 경계에 선 사람의 비애를 모르고서는 재즈를 제대로 음미하기 어렵다. 경계인만이 알 수 있는 인식과 감정, 음감과 리듬이 있다. 블루지bluesy하면서 경쾌한 스윙, 고결하면서 퇴폐적인, 엄숙하면서 자유분방한, 하이브리드이면서도 지고지순한, 그 사이 어딘가에 재즈가 있다.

11

책을 읽으며 덱스터 고든Dexter Gordon의 발라드 앨범을 듣는다. 콜먼 호킨스Coleman Hawkins의 〈Chant〉를 듣고, 케니 도햄Kenny Dorham의 〈Mack The Knife〉를 듣는다. 연주자의 변경으로 밤의 분위기가 확연히 달라진다.

재즈 뮤지션들은 악기라는 감정 표현 기관을 하나씩 더 갖고 있다. 콜먼 호킨스는 호방하고 부드럽고 감미로우면서 낙천적이다. 덱스터 고든은 중후하고 진지하다. 케니 도햄은 천연덕스럽고 투박하게, 시치미 뚝 떼고 한 음, 한 음 불어 젖힌다. 베이스와 드럼과 피아노가 트럼펫의 빈 곳마저 완벽히 채우고 여백을 흥건히 적신다. 케니 도햄의 어눌한 트럼펫은 화려한 기교가 줄 수 없는 그 너머의 감동을 준다. 솔직함이야말로 최고의 기교다. 지금 이 우주상에 과묵한 케니Quiet Kenny가 신중하게 짚어나가는 한 음 한 음 외에 미학적으로 더 올바른 공간은 없다.

발터 벤야민의 말대로 정치적으로 옳아야 미학적으로 옳은지는 잘 모르겠다. 솔직히 무엇이 정치적으로 옳은지 자체를 모르겠다. 다만 케니 도햄의 연주를 들으며 깨닫는 분명한 한 가지 사실은, 묵직한 음 다음에는 투박하더라도 진중한 음이 이어져야 한다는 것이다. 진정한 아름다움이란 개별적인 단독의 아름다움이 아니라 그 상황에 가장 어울리는 것이다. 사람이 추락하고 있다면 섬섬옥수가 아니라 핏줄이 툭툭 불거지고 근육질의 우락부락한 손이 가장 미학적인 손이다.

12

스마트폰이 배를 세워 놓거나, 흘러가는 대로 둔 채 참방거리며 노는 느낌이라면, 독서는 노를 저어 나가는 느낌이 든다. 원하는 목적지로 가려면 책이 훨씬 낫다.

13

좋은 책을 읽으면, 사랑, 평화, 자애, 즐거움, 행복, 지적 충만 같은 것들이 끊임없이 반복 재생된다. 늘 이런 내용을 접하는 사람이 어떻게 폭력과 전쟁을 일삼을 수 있겠는가. 책은 인간이 절멸하지 않기 위한 최소한의 안전장치다.

14

주문한 책이 도착했다. 세상의 작은 조각이 또 내게로 왔다. 책은 음반과 달리 즉각적으로 내용을 음미할 수 없지만, 장정이나 제본 상태, 활자, 종이의 질감, 서체로 먼저 체험할 수 있다. 책을 사면 나는 먼저 손으로 빠르게 1회독을 한다. 비기秘記의 탐색은 대개 다음으로 미루고 구석에 쟁여놓는다. 이렇게 읽지 않은 책이 자꾸 쌓여간다. 이게 좋은 일인지는 모르겠다. 놓을 자리도 마땅찮은데 왜 읽지도 않으면서 책을 자꾸 사는가, 아내가 매섭게 추궁한다. 어버버버하며 말끝을 흐린다. 지적 허영이 너무 심한가 자책도 해본다.

마포 어딘가 지하 깊은 곳에 청음실을 만들어놓고 LP 수만 장을 수집한 소문난 오디오 파일 작가의 말이 위안을 준다. 몇만 장의 음반을 다 들을 시간이 없지만, 그걸 알면서도 꾸역꾸역 사 모은다고. 읽거나 듣기 위해 사는 사람도 있고 모으는 재미에 사는 사람도 있다. 사놓으면 언젠가 읽거나 듣는다는 말은 사실 허언에 가깝다. 책이나 음반 감상에 소요되는 러닝타임과 내 인생의 러닝타임을 계산하면 답은 뻔하다. 그에 대한 내 답도 뻔하다.

그래서 뭐 어쩌라고. 이 물성과 이 느낌으로 내 우주를 채운 것으로, 순수한 그 체적만으로, 책은 이미 제값을 충분히 다했는데. 마음을 채우는 건 완전 보너스인데.

15

영화 〈84번가의 연인〉은 책을 좋아하는 사람이라면 좋아하지 않을 수 없는 이야기다. 책을 매개로 두 사람과 두 세계—경제는 번창하나 문화적으로 열등한 미국과 문화적으로는 최강국이나 경제가 몰락한 전후 영국—가 서로 만나는 영화다. 그 두 세계를 잇는 매체(통신수단)는 편지와 소포다. 대서양을 오가는 상품은 고작 단돈 5달러 이하의 낡은 헌책이거나 식료품이다. 지금 기준으로 보면, 정말 느리고 비효율적이고 보잘것없는 정보와 물건이지만, 그 교환 과정은 더없이 애틋하고 다정하다. 중요한 건 정보의 용량이 아니라 질이고, 선의의 크기가 아니라 순도다.

영화 속에 존 던John Donne의 글을 인용한 대사가 나온다. "모든 인류는 한 권의 책과 같아서 한 사람이 죽었다고 그 장 전체가 없어지는 것이 아니다. 다만 더 훌륭한 문장으로 가꾸어질 뿐이다. 모든 문장이 훌륭히 다듬어져야 하므로, 하느님은 여러 감수자들을 두셨다. 오래되거나 좋지 않아서 바뀌는 문장도 있고, 전쟁이나 법 때문에 바뀌는 문장들도 있다. 하느님이 흩어져 있는 책장들을 거두시니, 모든 책이 그분의 서재로 모이게 될 것이다."

나도 그분의 책이다.

16

새 책도 좋아하지만 헌책 사는 것도 좋아한다. 보수동 헌책방이나 알라딘 중고서점을 그냥 지나치지 못한다. 손때가 묻고 곳곳에 메모가 있는 낡은 책을 보다 문득 이런 생각이 들었다.

그래, 책과 사람은 같이 가는 거야. 책 따로 사람 따로가 아니야. 그렇게 함께하다 결국 책만 남겠지. 헌책에 낙서나 메모가 보여도 함부로 지우지는 마. 책과 함께했던 한 사람이 책의 일부가 된 것이니.

17

타인의 글은 '당신도 별수 없는 속물이네, 나만 그런 게 아니네' 하는 위안을 준다는 점에서 큰 가치가 있다. 그와 동시에 자신과 비슷하게 취약한 사람임에도 이런 힘든 상황을 헤쳐나가고, 선한 일을 했다는 사실이 자극을 주기도 한다.

나에 대한 평가 중에 그래도 이런 판사가 있어 다행이고 위안이 된다는 말이 더러 있었다. 무척 민망하지만 그 심정이 충분히 이해된다. 나 역시 그래도 이런 교도관이, 이런 경찰이, 이런 피고인과 피해자가 있어 얼마나 감사한지 모른다. 이 엉망진창인 세상을 유지하고 지탱하는 건, '그래도 이런 사람들'이다.

'그래도 이런 사람들' 중에서도 최고는 '그래도 이런 독자들'이다. 소외되고 보이지 않는 이들을 컴컴한 책 속에서 채굴해내는 사람들, 그들의 숫자만큼 세상은 탈소외된다.

18

글은 문이다. 특히 책은. 문을 열고 들어가면 한 사람이 구축해놓은 갖가지 세계가 차르르 펼쳐진다. 아름다운 풍광부터 기기묘묘하거나 그로테스크하거나 음산한, 크고 웅장하거나 좁고 협량한.

책의 세계를 통과해서 나오면, 책 밖의 세계가 달라진다.

✣

아버지의 일기를 본 적이 있다. 그 일기를 보기 전까지 나는 아버지를 증오했다. 그 일기를 본 후에도 여전히 아버지를 증오했지만, 동시에 이해할 수 있게 되었다.

19

《윤미네 집》을 보면 한 가족의 일생이 몇 페이지에 함축되어 있다. 재판기록도 마찬가지다. 페이지를 넘기면 한 생이 넘어간다. 영화도, 소설도, 모든 기록에는 시간이 담겨 있다. 시간의 워프, 기록의 묘미이자 잔인한 지점이다.

20

글쓰기는 탈의다. 진솔한 글을 읽는 것은 작가의 나체를 엿보는 것과 같다. 숨기고 지킬 게 많으니 글이 쉽게 나갈 리가 없다. 글쓰기가 자신의 쾌락과 기쁨 같은 사적 만족에만 복무할 때 글쓰기의 수명은 길지 않다. 자기를 찢고 타자를 향해 나아가는 글만이 사람들 사이에서 살아남는다.

✣

말, 여행, 광경 등 그 어떤 수단으로도 발견할 수 없는 것을 글로 쓰면서 발견하는 것. 글쓰기 이전에는 현장에 없던 것을 발견하는 것, 바로 거기에 글쓰기의 희열이 있습니다.

거짓말하지 않는 쓰기. 진실한 글쓰기야말로 실제 삶과 오직 글쓰기만을 통해 도달할 수 있는 삶 사이에 삼투현상이 일어날 수

있게 하는 것 아닐까요. (아니 에르노)

글이 진실해야만 삶이 글에 스미고, 글도 세상에 스민다. 글과 삶의 혈액형과 유전자는 동일하다. 글에 거짓이 깃드는 순간, 글은 죽어버린다.

21

모든 글의 초고는 끔찍하다. 죽치고 앉아서 쓰는 수밖에 없다. 나는《무기여 잘 있거라》를 마지막 페이지까지 총 39번 새로 썼다. (어니스트 헤밍웨이)

영감은 기다린다고 오지 않는다. 직접 찾으러 나서야 한다. (잭 런던)

당신만이 전할 수 있는 이야기를 써라. 당신보다 더 똑똑하고 우수한 작가는 많다. (닐 게이먼)

위대한 글쓰기란 없다. 위대한 고쳐 쓰기만 있을 뿐이다. (엘윈 브룩스 화이트)

작가란 다른 사람들보다 글쓰기를 어려워하는 사람이다. (토마스 만)

글쓰기는 세상에서 가장 외로운 노동이다. (존 스타인벡)

무엇을 쓰든 짧게 써라. 그러면 읽힐 것이다. 명료하게 써라. 그

러면 이해될 것이다. 그림같이 써라. 그러면 기억 속에 머물 것이다. (조지프 퓰리처)

쓰고 싶은 것이라면 무엇이든지, 정말 뭐든지 써도 좋다. 단, 진실만을 말해야 한다. 픽션은 거짓말이다. 좋은 픽션은 그 거짓말 속에 감춰진 진실이다. (스티븐 킹)

글쓰기 명언을 읽으면 대략 감이 온다. 모든 명언을 아우르는 말이자 최고는, "글쓰기 명언 읽을 시간에 한 글자라도 더 써라"(표정훈)다.

✣

글쓰기는 글쓰기를 통해서만 배울 수 있다. 그 외에는 어떤 배움의 길도 없다. (나탈리 골드버그)

참된 배움의 방식도 이와 같다. 외로워야 외로움을 알 수 있고, 사랑해야만 사랑을 배울 수 있다. 직접 부딪혀야만 알 수 있는 것들이 있다. 삶이 그렇다.

22

글을 쓸 때만 유일한 위안을 받는다. 좋은 글이든, 졸렬한 글이든 내가 한순간이나마 세상에 몰입하여 그 일부로 살았음을 느끼게 되는 순간이다. 종이는 사각대며 내 행적을 받아적는다. 오늘 내가 걸은 거리며, 계단이며, 길이며, 내게 오간 사람들과 생각들이 조용히 글로 되살아난다. 생각 없이 보낸 시간은 빠르다기보다 헛되다. 헛되고 빠른 데다 기록조차 없어 잊히는 것은 최악이다.

✣

글을 쓰는 행위에는 치유적 성격이 있다. 글쓰기는 두려움과 고통의 실체를 면밀히 탐색하고 직시하게 함으로써 모호한 공포와 혐오에서 벗어나도록 돕는다. 글을 쓴다는 것은 사건과 감정을 판단하는 일이기도 하다. 판단은 규정이 되고, 규정은 행동의 준거가 된다. 인간은 글을 씀으로써 판단하고 행동한다. 사랑한다면 써야 한다. 증오하더라도 써야 한다. 글은 연서나 고발장, 공정증서 중 하나다.

23

"좋은 글씨를 남기기 위해서는 결국 좋은 사람이 될 수밖에 없다"는 신영복 선생의 말에 동감한다. 나는 조금 느리더라도 좋은 사람이 되는 방식으로 좋은 글을 쓰고 싶다. 글과 연대하는 삶의 자세라면, 글쓰기는 못하더라도 좀 더 나은 사람은 될 수 있을 테니까.

나는 정의를 아는 게 아니라, 정의를 믿는다

1

Ulpianus D1.1.10.

법의 규정은 이것이다: 정직하게 살아라, 다른 사람을 해치지 말라, 각자에게 그의 것을 주어라.

Iuris praecepta sunt haec: honeste vivere, alterum non laedere, suum cuique tribuere.

로마법에 언명된 로마인의 법관념은 간명하고 담백하다. 그러나 이것 이상으로 법의 이념을 잘 설명하기도 어렵다.

2

재판의 목적은 스토리텔링이 아니다. 재판은 일정한 법률요건이 충족되는지를 살펴 권리와 의무를 부과하는 절차일 뿐이다. 소비대차 소송이라면 돈을 빌려줬는가, 변제기나 이자 약정이 있는가만 의미 있다. 상간자에 대한 위자료 소송이라면, 불륜사실이 있는가만 밝히면 그만이다. 법률요건과 무관한 사실이나 정보는 의미가 없고 판결문에도 담기지 않는다.

그러나 이야기 측면에서 보면 이렇게 버려지는 정보가 더 중요하다. 그게 바로 맥락이기 때문이다. 판결에 대해 비난할 순 있어도, 이처럼 맥락이 다 빠져 있는 사정쯤은 알고 비난해야 한다. 그렇지 않으면 듬성듬성 비어 있는 퍼즐을 앞에 두고 미완성이라 욕하는 것이나 마찬가지다.

3

조정신청사건이 있었다. 보험회사가 유방암으로 투병 중인 사람을 상대로 채무부존재확인소송을 제기하기에 앞서 조정을 신청한 것이다. 눈썹 없이 푸석푸석한 얼굴로 모자를 푹 눌러쓴 30대 여성은 보험회사의 몰인정한 처사에 시작부터 눈물을 쏟아냈다. 나는 마음이 불편해 보험회사 대리인에게 “왜 하필 이때 조정신청을 해서 투병 중인 사람을 힘들게 하는가?”라고 대신 책망해주고, 보험금인 500만 원으로 강제조정결정을 했다. 그날 큰 회사의 100억 원 조정사건도 있었다. 돈의 가치라는 게 시간처럼 상대적임을 잘 알지만, 누군가의 500만 원이 100억 원보다 더 가치 있음을 다시 한번 두 눈으로 똑똑히 보았다.

500만 원이 왜 더 귀한 것일까. 그의 전 재산이어서? 그 돈이 없으면 굶거나 치료받을 수 없어서? 물론 그런 이유도 있지만 그 돈이 한 인간의 존엄을 지켜주기 때문이라 말하고 싶다. 그는 고작 이 정도 돈 때문에 푸석해진 흉한 얼굴로 법원에 불려 나온 게 수치스럽고 비참했던 것이다. 나는 500만 원과 함께, 아니 그 이상으로 상처 입은 그의 존엄함을 지켜주고 싶었다. 물론 보험회사는 늘 그랬듯 강제조정결정에 이의하고 소송으로 돌입했다.

✣

법의 본질은 어느 누구로부터도 간섭받거나 침해받지 않는다는 데 있다. 왕이건, 권력자건, 민중이건, 소수자건. 법의 역사가 초법적인 권력자를 통제하기 위한 목적에서 비롯되었다는 점 때문에 법의 본질에 오해가 있다. 법은 소수자를 위한 것이 아니다. 법은 만인에게 평등하나, 동시에 만인에게 잔인할 수 있다. 해석이 아니라 입법이 중요한 이유다.

4

이언 매큐언의 《칠드런 액트》(민은영 옮김, 한겨레출판, 2015)는 친권과 생명권, 신체에 대한 자기결정권, 아동의 복지 같은 권리의 충돌을 소재로 한 섬세하고 뛰어난 법정소설이다. 이 소설이 전체적으로 긴장을 잃지 않고 팽팽한 갈등을 야기하는 이유는 소년의 생명을 다루기 때문이다.

생명권은 친권은 물론 다른 어떤 권리보다 상위 개념이지만, 현실에서는 《칠드런 액트》에서처럼 많은 권리와 충돌한다. 주 70시간을 근무하는 택배 노동자의 생명권이 소비자권보다 우위에 있을까. 허공에 매달려 용접하는 노동자의 생명권이 사업주의 재산권보다 우위에 있을까. 과연 그럴까. 우위에 있다면, 도대체 어떻게 그럴 수 있나.

5

동물권 논의에 불을 지핀 피터 싱어Peter Singer의 논리는 단순하다. 동물도 쾌고감수능력(sentience, 쾌락과 고통을 느낄 수 있는 능력)이 있으므로 인간의 고통과 평등하게 고려해야 한다는 것이다. 대부분의 동물은 쾌고는 물론 슬픔도 느낀다.

민법에 동물은 물건이 아니라는 조항이 있든 없든 동물은 당연히 물건이 아니다. 그럼에도 민사상 물건으로 취급하는 이유는 민법이 만물을 오직 사람과 물건, 둘로만 구분하기 때문이다. 법의 폭력성이 이 정도다.

법의 단순함 앞에서 동물만 피해를 보는 것도 아니다. 남성과 여성, 장애인과 비장애인, 근로자와 자영업자 같은 이분법 앞에서, 무수한 이가 기쁨과 아픔, 슬픔을 아는 고기 조각이 되어 접시 위에 플레이팅된다.

6

누군가를 피폐하게 만드는 것이 주된 목적인 글과 말은 참담하다. 공격의 대상은 물론 글을 쓴 주체 모두 초토화시킨다. 칼 같은 말과 글은 상대를 베기 전에, 자신의 가슴과 입부터 먼저 베고 나오기 때문이다. 소송서류나 법정의 언어가 대개 이렇다. 내가 사랑하는 모국어가 사람을 난자하는 흉기가 되는 걸 계속 지켜보는 것은, 판사로서 견디기 힘든 일이다.

✣

A→B→A 방식으로 빌린 사람에게 갚아버리면 1회분의 사랑과 그 보은으로 끝난다. 그러나 A→B→C→D→E 방식으로 다른 사람에게 갚아나가면 사랑은 끝없이 계속된다. 주고 나서 받기를 기대

하지 말라는 가르침은 그래서 생겨났다. 그것은 거래일 뿐이다.✤

복수는 고차원적 가치라 보기 어려운데, 가장 큰 문제점은 그 폭발적 에너지가 확산되지 않는다는 점에 있다. 복수는 복수의 대상끼리만 서로 치고받다 끝난다. 그래서 복수가 완성되면 영화가 지리멸렬해진다. 결말을 뻔히 알면서도 고작 이걸 위해 빌드업했는지 허탈하기까지 하다.

〈아름다운 세상을 위하여Pay It Forward〉는 선의를 되갚지 않고 제삼자에게 베풀면, 그 선의가 계속 확장되어 결국 좋은 세상이 된다는 내용을 담은 그저 그런 영화라 보기엔 뻔한 결론 같지만 이게 정답이다.

자연도 끝없는 순환 같지만, 가만히 보면 순환하는 동시에 새로운 생명을 생성하면서 계속 확산한다. 반면에, 소송은 철저히 대립 구조다. 재판이 끝나면 늘 허무한 이유다.

✤ 고종주, 《재판의 법리와 현실》, 법문사, 2011.

7

진실은 아름다운 천사의 입에서만 나오는 것이 아니다. 구취가 나고 역겨운 범죄자나 공범들의 입에서 나온 이야기가 진실일 가능성이 높다. 말하는 입이 냄새나고 더럽다고 피하면 안 된다. 그러나 그게 말처럼 쉬운 일이 아니다. 그래서 진실을 감추기 어려우면 스피커나 메신저를 공격하는 것이다.

8

형상이나 존재 자체로 효용을 다하는 것들이 있다. 의자 같은 것이 그렇다. 그에 비해 발화하거나 사용되지 않으면 존재 의미가 없는 것들도 있다. 불꽃놀이용 화약이나 전등 같은 것들이다. 신념이나 도덕, 선의나 호의, 이타심과 사랑 같은 형이상학적 가치 역시 행동으로 표출되지 않으면 아무 의미도 없다. 역으로 얘기하면 그렇기 때문에 내심의 사상이나 양심의 자유는 절대적인 것이다.

✣

나는 당신이 하는 말에 동의하지 않지만 당신의 말할 권리를 위해 목숨을 걸고 싸워주겠다.

I disapprove of what you say, but I will defend to the death your right to say it. (볼테르)

변용 – 당신의 의견에 반대하지만 당신이 단지 그 생각 때문에 핍박받는다면, 나도 기꺼이 싸우겠다. 이게 민주주의다.

9

법질서의 임무는 인간이 보초병처럼 간단없이 주위를 경계하도록 만드는 데 있는 것이 아니라, 때로는 온갖 걱정을 잊어버리고 별과 수목, 인생의 의미와 의義에까지 고양될 수 있도록 만들어주는 데 있다. (구스타프 라드브루흐)

날카로운 통찰이다. 법이 반드시 권리를 억압하거나 제한하고, 기득권의 이익을 위해 봉사하는 것으로 해석할 이유는 없다. 아니, 대개 그런 해석은 잘못된 것이다. 사법 적극주의나 소극주의를 떠나, 법과 질서가 궁극적으로 추구하는 건 통제나 규제가 아니라 자유다. 보초가 있어 안심하고 잠들 듯, 법이 있어 마음 놓고 별과 인생을 노래할 수 있는 것이다. 권리를 신장시키고, 자유롭게 하늘을 보게 하고, 창의적이고 행복한 삶을 누리도록 하는 것이야말로 법이 진정 바라는 바다.

10

법이 강자의 도구란 소리를 귀가 따갑게 듣지만, 적어도 문명국가에서는 절대권력자조차 초법적인 행위를 마음대로 자행할 순 없다. 그러나 무소불위인 법은 국경을 넘는 즉시 힘을 잃는다. 국경없는 의사회의 활동은 눈부시지만 국경없는 법률가회는 존재감이 없다. 의술은 만국 공통이나 법은 일국 공통이다. 국경을 초월하는 것은 법이나 정의가 아닌 힘이다. 약소국은 침공도, 휴전도, 재판도, 배상도 독자적으로 결정하지 못한다. 국제관계에서 힘의 논리를 벗어나는 건 불가능하다.

강대국들의 오랜 이해관계가 지구를 망치고 인류의 미래를 위협하고 있는 지금, 언제까지 그 힘에 끌려다녀야만 하는 걸까. 혜성이 가까이 다가와도 '돈 룩 업Don't Look Up'이라 명령하며 머릴 처박게 만드는 그 완력에 맞설 힘이 우리에게는 정말 없는 걸까. 가해가 아무리 가해자의 전적인 의지에 달린 문제라 하더라도,

이 참담한 결과 앞에서 우리의 무력함은 용서받을 수 있는가.

영화 〈뉘른베르크 재판〉에서 나치에 동조한 판사 '야닝'의 변호인이 한 최후변론이다. "독일과 동맹이었던 러시아는 무고한가? 한때 히틀러를 위대한 지도자라 찬양했던 처칠과 그에게 큰 명성을 안겨준 바티칸은 어떤가? 독일의 재무장으로 막대한 이득을 누린 미국 자본가들은 책임이 없나? 야닝이 유죄면 전 세계가 유죄다."

우크라이나를 돕기 위해 각국의 의용군이 모였다고 한다. 과거 스페인 내전에서 파시즘에 맞선 공화파를 지원하기 위해 전 세계인이 참전한 사건을 연상시킨다. 조종弔鐘이 멀리서 들린다고 안심해선 안 된다. 우리가 인류라는 대륙의 한 줌 흙인 이상, 우크라이나 사람이 죽든 러시아 사람이 죽든 실은 우리 모두의 사멸이다. 마리우폴의 총성도, 키이우의 조종도 우릴 향한 것이다.

요즘 세계가 돌아가는 모습을 보면 정말 일상이 전쟁이다. 절체절명의 위기에서 목숨을 걸고 국경을 넘는 것은 구호품도, 의술도, 의용도 아니다. 절박한 인류애다. 사랑은 부패하지 않는 유일한 절대권력이다.

11

반쯤 지고 반쯤 남은

남은 것도 반만 붉고 반만 노란

이제는 가을도 반 겨울도 반인

바로 이맘때의 여기 이쯤에서

모든 것을 다 가진 듯

온통 노란 빛으로 물들이고 선

느티나무 우산 아래서 이제야 알 것 같다

하나의 것으로 일사불란한 삶이 왜 그렇게 고달팠는지를

또 왜 그렇게 애가 타고 힘이 들었는지를

느티가 이리도 느긋한 것처럼

슬픔과 기쁨을, 희망과 절망을 왜 이렇게 반씩 알맞게 섞어야 하는가를

아무 걱정 없이 내내 편안하고 따뜻한 것은

마침내 어떤 모습인가를*

휴대폰 카메라엔 반셔터가 없다. 스마트한 디지털 세상에는 반가을도, 반지하도, 반천국도, 반지옥도 없다. 디지털이 아날로그를 죽어도 쫓아갈 수 없는 이유. LP가, 손글씨가, 종이책이 사라지지 않는 이유.

절반의 정의는 정의에 반하는 것인가 아니면 반은 정의로운 것인가. 반지하는 머리만 땅 위로 달랑 솟은 좀비의 거처인가, 반이나마 지상을 볼 수 있는 기초수급자의 희망찬 공간인가.

모두 보기 나름이다. 이 모호함이 바로 아날로그의 가치이자 미덕이다. 실재하는 모든 것은 모호하다. 우주조차. 0과 1의 정보로 재생한 소리는 LP 소리보다 훨씬 심심하다. 비가청 주파수 대역만 잘라냈을 뿐 모든 소리 정보를 담았음에도 그렇다.

비가청 주파수나 비가시광선처럼 들리지 않고 보이지 않는 사람들이 있다. 아무짝에도 쓸모없는 것 같지만 사실은 이 사람들이 바로 아날로그 세상 자체다. 사회적 약자나 소수자를 버리고 갈 수 없는 이유다. 법 해석이 어려운 지점이기도 하다. 법은

* 고종주, 〈늦가을〉, 《대구지하철 중앙로역에서》, 부산대학교출판부, 2009.

아날로그 세상을 디지털처럼 판단하는 작업이다. 0 아니면 1, 유죄 아니면 무죄, 정의 아니면 불의, 승소 아니면 패소. 위헌 아니면 합헌.

판사들이 민사사건에서 판결보다 합의를 통한 조정을 권유하는 데는 이유가 있다. 세상을 0과 1, 흑과 백으로 규정짓고 단정하고 정의 내리는 일의 위험함과 허망함을 잘 알기 때문이다. 이진법의 틀에서 잘려나가는 것이 옷깃이고 머리카락 정도면 다행이다. 가끔은 손가락이 되고 발목이 되고 자칫하면 목이 될 수도 있다.

12

1961년 6월 6일 저녁, 칼 구스타프 융은 퀴스나흐트의 자택에서 사망했다. "부르든 부르지 않든, 신은 존재할 것이다." 융의 묘비에 적힌 문구는 언젠가 그가 인터뷰에서 한 말을 상기시킨다. 신을 믿느냐는 질문을 받자, 융은 이렇게 대답했다. "나는 그분을 믿는 게 아니라, 그분을 압니다."

변용 – 나는 정의를 아는 게 아니라, 정의를 믿는다.

✣

호설 편편 불락처好雪 片片 不落處, 눈이 참으로 좋구나, 한 송이, 한 송이 떨어지지 않는 곳이 없구나.

불가佛家에서 전해져 오는 말이다. 눈이 좋은 건 내릴 곳을 가리지 않는다는 점이다. 최고의 법과 정의, 최고의 상과 벌도 이런 모습이어야 한다. 법이 사람을 가려 내리는 곳은 정의가 무너진 곳이다.

13

마약사건은 밀고에서 시작된다. 피고인은 자신에게서 약을 샀다는 증인을 앞에 두고 “뽕쟁이 말은 전부 거짓말입니다”라고 핏대 세운다. 재판은 입만 열면 거짓말하는 두 ‘뽕쟁이’ 중 ‘누구 말을 믿을 것인가’와의 한판 싸움이다. 피고인과 증인 모두 믿지 못하면 무죄다. 의심스러울 땐 피고인의 이익으로 판단한다. 이 원칙이 없다면 재판은 동전 던지기나 마찬가지다.

기억에 남는 마약사건이 있다. A는 중국의 C로부터 한국에 있는 필로폰 500그램을 처분해달라는 부탁을 받고, 특진을 노리던 형사 B에게 연락해 거래 장소인 카페로 함께 갔다. 잠시 후 박스를 든 남자가 들어왔다. 그는 “A씨가 누굽니까, 중국에서 택배가 왔습니다”라고 외쳤다. 이상한 느낌이 들었던 B 형사는 카페에 있는 다른 남자들에게 신원 확인을 요청했다. 놀랍게도 그들은 부산지방검찰청 마약수사관이었다. A는 그 자리에서 마약 밀

반입으로 긴급체포됐고, B 형사 역시 공범으로 입건됐다.

이 사건은 위장거래를 뜻하는 마약 세계의 일명 '던지기' 사건으로, A와 B 형사, C와 부산지검 측이 서로 함정을 판 특이한 경우였다. A가 불운했던 건 자신의 뒤를 봐준 쪽은 경찰인데, C의 뒤를 봐준 쪽은 힘이 더 센 검찰이었다는 점이다. A는 법정에서 "위법한 함정수사에 역공당한 것"이라고 억울해했지만 소용없었다. 대법원은 범의유발형 함정수사만 위법으로 보는데, 원래 있는 범의를 이용했는지(적법), 없던 범의를 유발했는지를 판단하는 것은 실무상 대단히 어렵다.

O. J. 심슨 사건의 변호사이자 스물여덟 살에 하버드대 로스쿨 교수가 된 앨런 더쇼비츠Alan Dershowitz는 자신의 책 《최고의 변론The Best Defense》*에서 미국 형사재판의 실제 작동 모습을 열세 가지 규칙으로 설명한다. 더쇼비츠는 이 규칙을 '저스티스 게임'이라고 불렀다.

규칙 1: 피고인 대부분은 실제 유죄다.

규칙 2: 모든 변호인과 검사와 판사는 규칙 1을 알고 있다.

* 변용란 옮김, 최명석 감수, 이미지박스, 2006.

규칙 3: 헌법을 준수하는 편보다 헌법을 위반하는 편이 피고인에 대한 유죄 평결을 받기 쉽다. 어떤 사건에서는 헌법을 준수하는 경우 유죄 평결을 받아내는 것이 불가능하다.

규칙 4: 많은 경찰관은 유죄 평결을 받기 위해 헌법 위반에 관한 위증을 한다.

규칙 5: 모든 검사와 판사와 변호인은 규칙 4를 알고 있다.

규칙 6: 많은 검사는 유죄 평결을 받기 위해 경관이 헌법 위반에 관해 위증할 것을 암묵적으로 부추긴다.

규칙 7: 모든 판사는 규칙 6을 알고 있다.

규칙 8: 대부분의 1심 판사는 거짓말하는 경관을 믿는 척한다.

규칙 9: 모든 항소심 판사는 규칙 8을 알고 있다. 그러나 많은 항소심 판사는 거짓말한 경관을 믿는 척한 1심 판사를 믿는 척한다.

규칙 10: 대부분의 판사는 피고인이 헌법상의 권리가 침해되었다고 주장하면 설사 진실을 말하는 경우에도 이를 믿지 않는다.

규칙 11: 대부분의 판사와 검사는 무죄라고 믿는 피고인에 대하여 고의로 유죄 평결이 내려지도록 하지는 않을 것이다.

규칙 12: 규칙 11은 조직범죄 구성원, 마약 판매상, 직업적 범죄자, 잠재적 정보원에 대해서는 적용되지 않는다.

규칙 13: 실제로는 누구도 정의를 원하지 않는다.

'크레타 사람은 거짓말쟁이라고 크레타 사람이 말했다'는 역설을 '러셀의 패러독스'라고 부른다. 가만히 보면 이 역설은 원소(한 명의 크레타 사람)가 집합(크레타 사람 전체)을 언급함으로써 발생한다. 따라서 역설의 모순을 피하려면 원소가 집합을 언급해선 안 된다. 이를 지키지 않는 이상 그 명제는 무의미하다. 이런 결론이 버트런드 러셀의 해법이다(유형이론).

"전관예우는 없다고 한 판사가 말했다. 제 식구 감싸기는 없다고 어떤 검사가 말했다"고 아무리 떠들어봐야 귓등으로 듣는 이유도 비슷한 맥락이다. 그러나 러셀의 해법은 수학이 아닌 현실에선 별 효용이 없다. 근본적인 해결책이라기보다 화자만 슬쩍 빼버림으로써 문제를 우회하는 방식이어서다. 하지만 모든 화자가 자신만 빼고 남을 평가한다면 결국 남는 사람은 단 한 명도 없다. 내로남불은 원칙의 포기고, 시스템의 붕괴를 초래할 뿐이다.

우리가 현재 처한 상황 역시 위 사례들과 흡사하다. 목적을 위해서라면 마약을 던지듯 서슴없이 법과 정의를 내팽개치고, 전부 원칙을 어기면서도 자신이 판 함정에는 정당한 목적이 있다고 다들 믿는 척한다. 그러나 모두가 위법하면 그 누구도 잡을 수 없고, 타인의 불법으로 자신의 불법을 가릴 수도 없다. 원칙이 사라진 법정에는 정의를 흉내 낸 게임만이 난무한다. 모두 거짓말쟁이라 말하는 크레타 사람과 뻥쟁이와 우리의 모습이 많이 겹쳐 보이는 건 나만의 착각일까.

14

목적은 수단을 정당화시켜주는가? 그럴 수도 있을 것이다. 그러나 목적은 무엇이 정당화시켜주는가? 역사적 사상이 미결로 남겨 놓은 이 질문에 반항은 대답해야 한다. 그것은 수단이 정당화해준 것이라고. (알베르 카뮈)

카뮈의 말은 결국 수단이 정당해야 목적도 정당하다는 말이다. 미란다 원칙이나 위법수집증거배제법칙 같은 절차적 법원리는, 인권 보호라는 취지에도 불구하고 악질적인 범죄자를 보호하고 실체적 진실 발견을 방해하는 거추장스러운 것으로 여기는 사람이 많다. 그러나 절차적 정당성은 단지 피고인의 인권을 보호하기 위한 수단에 그치지 않는다. 그 자체가 목적이다. 아무리 중요한 진실과 정의라 하더라도 적법한 절차를 통해 지켜지지 않는다면, 무의미함을 넘어 유해하다.

15

재판은 법정으로 온 사건과 당사자들에게만 효력이 미친다는 점에서 법률이나 정책과 큰 차이가 있다. 재판의 이런 특성 때문에 형사재판의 무력함에 대해 많이 언급하기도 했다. 그러나 판사는 법정에 선 사건에 있어서만큼은 엄청나게 강력하다. 만인에게 무력하고, 일인에게 절대적인 존재라고 할까.

판사로서 나의 가장 깊은 두려움은 무력함이 아니라, 내가 헤아릴 수 없을 만큼 강하다는 점이다.*

* Marianne Williamson, 〈Our Deepest Fear〉

16

기능이라는 관점에서 판사를 명명해보라고 하면 나는 가격책정사라 부르겠다. 판사는 값을 매기는 사람이다. 소송거리가 되는 한 판사는 거의 모든 것—죽음(산재나 사망), 사랑(이혼이나 불륜), 우애(상속), 우정(동업), 풍경(조망), 소리(소음), 햇살(일조)—에 값을 매길 수 있다. 이런 판사를 생각하면 어릴 때 본 엿장수가 떠오른다. 소주병 하나는 엿 한 개, 냄비는 엿 세 개, 자전거는 엿 다섯 개에 호박엿까지 큼지막하게 잘라준다. 비유가 아니라 내가 정말 이러고 있다.

17

법원의 높은 분들 인사말 중에 가장 많이 인용되는 구절이 있다. 목민심서 형전 6조 첫머리에 나오는 '청송지본聽訟之本은 재어성의在於誠意'라는 문구다. '송사를 처리하는 근본은 성의에 있다, 법의 근본은 성의다'라는 말이다. 좋은 말이지만 사실 법이나 판사의 성의는 현실에서 거의 목격되지 않는다. 송사에서의 성의는 대부분 당사자에게 속한 말이다. 그 사례다.

제 가슴속에는 오래도록 지워지지 않는 한 장의 낡은 사진이 있습니다. 25년 전쯤으로 기억합니다. 그 무렵 저는 부민동 청사에서 형사단독재판을 하고 있었습니다. 저녁 일곱 시경이었습니다. 주위에 어스름이 깔리면서 사람들이 모두 집으로 돌아가는 그 무렵, 일과를 마치고 퇴근을 하다가 우연히, 저는 그 장면을 목격하였습니다. 한 늙수그레한 할머니 한 분이 법원 정문 앞에 있는 서늘한 돌기둥 하나를 붙들고 한참을 흐느끼고 있더니, 조금 떨어져 서서 그 말 못하는 돌기둥을 향하여 쉴 새 없이 허리를 굽혀 연신, 절을 하는 것이었습니다. 형사재판으로 구금된 자식을 둔 어머니로 보였습니다. 그날은 몇 개의 법정에서 형사재판이 많았던 날이었습니다. 한두 번 그러다가 그냥 말겠지, 생각하고 저는 잠시 가던 길을 멈춰 그 모습을 지켜보았습니다. 그러나 아니었습니다. 그 늙은 어머니의 절은 그칠 줄을 몰랐습니다. 어둠이 몰려와서 그 고단하고 대책 없는 한 어머니의 모습을 지워버릴 때까지, 저는 이만큼 거리를 두고 서서, 무슨 힘에 끌렸는지 한동안 그 모습을 하염없이 바라보다가, 이윽고 발길을 돌렸습니다. 그 빛바랜 한 장의 사진이, 지금 이 순간 제 눈앞에 어른어른 다시 떠오릅니다. 그리고 그 사진 속의 희미한 영상은 제게 이렇게 묻습니다. "지금 너는, 네가 하는 일에 성심을 다하고 있느냐"고. 아들이 구금된 그 속수무책의 상황에서, 그날 저녁, 그 어머니는, 자기 방식대로, 성심을 다하고 있었습니다.✤

이 글을 읽은 뒤로, 나도 한번씩 스스로 되묻곤 한다. 지금 너는, 네가 하는 일에 성심을 다하고 있느냐.

✤ 고종주, 《재판의 법리와 현실》

18

칼을 쓰려는데 잘 들지 않을 때가 있다. 칼날이 무뎌서이기도 하지만, 동시에 칼질의 대상이 저항을 하기 때문이기도 하다. 법이라는 칼에 대한 저항은 다양한 모습으로 오지만 대개 사람의 형상을 띤다. 친구나 가족, 상사로. 그래서 칼잡이는 고집불통이고 고립무원인 사람이 적격이다.

나는 고독하고 적격인 칼잡이다. 나는 추공이고, 클린트 이스트우드고, 켄신이다. 나는 오늘도 무수한 적을, 부조리를, 부정을, 폭력을 벤다. 켄신이 그랬듯 내 칼날에 스러진 것들 때문에 늘 괴롭다. 그것들 역시 사람의 형상을 띠기 때문이다. 언젠가 나도 베일 것이다.

19

법이 끝나는 곳에서 폭정이 시작된다. (영화 〈바이스〉)

이 말은 틀렸다. 법과 폭정은 함께 간다. 폭정은 참된 판사가 사라진 곳에서 시작된다.

20

직업법관제도의 취지는 생명과 자유 등 중대 사안에 대한 결정을 다수결로 밀어붙이는 걸 방지하기 위함이다. 취지는 납득되지만, 그럼에도 국민이 판사를 뽑지 않았다는 점은 이 제도의 취약점이자 판사의 딜레마다. 이에 대해 김영란 전 대법관이 한 강연에서 명쾌한 답을 제시했다. "선출되지 않은 권력으로서의 정당성은 선출 권력이 대변하지 못하는 소수자 보호 임무에 있다." 다수인 선출 권력이 할 수 없는 일을 하라고 판사를 선거 없이 발탁한 것이다. 따라서 소수자 보호 임무를 소홀히 하는 판사는 존재 이유가 없다.

21

"또 뵙겠습니다"라고 말하는 피고인이 있었다. 어쩌자고 또 보자는 말을 하는 걸까. 나는 대꾸하지 않고 속으로 말했다.

'또 만나지 맙시다. 혹시 만난다면 그곳은 지옥일 테니. 운이 좋으면 당신은 지옥을 피할지도 모르겠지만, 전 피할 수 없습니다. 신을 참칭僭稱한 죄를 어떻게 피할 수 있겠습니까. 그나마 한 가지 위안은 있네요. 지옥이 어디 여기만 하겠습니까.'

✣

비를 부르지 못하는 샤먼은 쓸모없다. 울음을 부르지 못하는 눈물은 신파다. 무엇이든 불러내지 못하는 것은 무용지물이다. 형벌도, 재판도 그렇다. 나는 무엇을 불러내고 있는가.

22

"사건은 한없이 끌었다. 소송의 전모가 너무나 복잡해 생존자 중 그 누구도 정확하게 알지 못했다… 수많은 판사가 자리를 들락날락했고 산더미 같은 서류가 무의미한 죽음의 종잇조각으로 변신했다." 초장기 미제사건을 묘사한 것 같은 이 글은, 1789년 유언 없이 죽은 부호의 유산을 둘러싸고 수십년간 계속된 소송을 소재로 했다는, 찰스 디킨스 소설《황폐한 집》의 일부다. 소설에서는 누구도 승소하지 못한다. 유산을 전부 소송 비용으로 써버렸기 때문이다.

개인 간은 말할 것도 없고 사회 전 분야에서 갈등이 심각하다. 자체 해결기능이 망가지다 보니 온갖 분쟁이 법원으로 몰린다. 최근 몇 년 사이 법원의 사건 처리 속도가 눈에 띄게 늦어졌다. 민사재판에서 특히 심하다. 고등부장 승진제도가 폐지되어 판사들의 동기부여가 사라진 것, 판사들이 워라밸을 추구하면서 예전처럼 열심히 일하지 않는 것 등이 원인으로 언급된다. 어느 날 갑자기 판사들의 사명감이 증발해버린 것인지, 주야로 몸을 갈아넣으며 일하는 이전 방식이 정상인지는 잘 모르겠으나, 아무튼 해결책으로 판사의 증원이 거론된다. 그러나 증원은 근본적 해법이 아니다. 현재 사법 현장은 과거 시스템이 와해하는 과정에서 발생하는 문제들로 총체적 난국 상황이다. 외연의 확대로 수습할 수 있는 국면을 벗어났다.

사법 패러다임의 변화를 직시하고 전통 사법절차를 보완하는 제도를 도입해야 한다. 형사법 영역에서는 치료사법을 바탕으로 한 문제해결법원을, 민사법 영역에서는 디스커버리(증거개시) 제도를 도입하고, 대체적 분쟁해결(ADR, Alternative Dispute Resolution)을 활성화해야 한다. 이런 노력이 없었던 건 아니다. 법원도 오래전부터 판결보다 조정을 강조해왔다. 그러나 실제 재판에서 당사자들은 조정을 무척 싫어한다. 조정을 2급 정의라 여기고 승패가 확연한 판결을 선호하는 경향이 워낙 강하다. 그러나 분쟁의 전체 국면에서 조망하면, 단언컨대 조정이 가장 빠르고 합리적인 해결책이다.

상대를 괴멸시킬 수 없는데도 버티기만 하면 공멸한다. 재판은 파국을 피하고자 국가권력을 빌려 일방을 부수고 전진하는 절차다. 그러나 시간이 너무 오래 걸리고 부수적 피해가 막심하다. 디킨스의 소설처럼 우리가 가진 유산도 얼마 남지 않았다. 뭐라도 건지려면 타협의 자세가 절실하다.

"나는 훨씬 더 무거우면서 동시에 선율이 아름다운 걸 찾고 있었지. 헤비메탈과는 다른 무엇을." 너바나의 커트 코베인이 정체기에 빠진 록의 변화를 꿈꾸며 말했듯, 희망은 거창하거나 심오한 게 아니다. 희망은 교착상태에 빠진 삶을 조금이나마 바꿀 수 있는 '뭔가 다른 것something different'이다.

23

가끔 질문을 받는다. 그처럼 극악무도한 사람들을 보면서 어떻게 인간에 대한 애정을 가질 수 있냐고. 그 말에 동의한다. 나도 내가 이상하다. 그러나 간과할 수 없는 지점이 있다. 우린 모두 완전무결하지 않다. 하자가 많은 존재다. 인간인 이상 누구나 실수할 수 있다는 이유가 용서받을 사정이 될 수는 없지만, 개 취급받지 않을 이유는 될 수 있다. 사람을 문 개를 사살하는 것과 사람을 죽인 사람을 죽이는 것 사이에는 차이가 있어야 마땅하지 않을까.

판사는 사랑하기 어려운 대상을 사랑해야 하는 직업이다. 대상이 누구라도 연민의 끈을 놓쳐서는 안 된다. 판사의 사랑은 직업적 의무다.

24

수백만 건의 판례로 딥러닝을 한 AI 판사가 사람 판사와 달리 절대 할 수 없는 일이 한 가지 있다. 기존 판례의 변경이다. AI는 주어진 데이터를 분석해 상황을 판단할 순 있어도, 데이터 자체를 바꿀 순 없다. 바꾸려는 의지가 없기 때문이다.

25

세계는 보여지기를 바라고 있다. 바라보기 위한 눈이 존재하기 이전에는, 물의 눈, 조용한 물의 커다란 눈이 꽃들이 피어나는 것을 보고 있었다.

철학자 가스통 바슐라르Gaston Bachelard가 새벽 수련을 보고 한 말이다. 세상 만물은 기다리고 있다. 보여지기를. 자신을 봐줄 누군가를. 사물의 내부를 들여다보려는 의지는 시력을 투시적이고 침투적으로 만든다. 그 의지는 갈라진 곳, 틈새, 금 간 곳을 간파한다. 판사는 사람들 사이를 여행하며, 차이를 성찰하는 사람이다(김영란 전 대법관). 바슐라르가 말한 몽상과 상상력이 필요하다.

26

요즘 자주 주춤거린다. 길을 걷다가도, 생각을 하다가도. 길을 돌아보듯, 문득문득 지나온 생을 뒤돌아본다. 잘 가고 있는 건가, 잘 살고 있는 건가. 시야에 사각이 있듯, 마음의 사각에 있는 사람들에게 미안하다. 눈길을 주는 것과 마음을 여는 것은 별개의 문제지만, 일단 시야에 넣는 일이 우선이다.

✣

보이스피싱범 말에 속아 냉장고에 현금 5천만 원을 넣어두고, 집 비밀번호까지 알려줬다 도둑맞은 할머니가 딸과 함께 증인으로 출석했다. 자식들에게 부담 주지 않으려고 한푼 두푼 모은 노후 자금이라고 했다. 할머니는 잃어버린 돈보다 자신의 무지가 너무 원망스러운지 계속 자책했다. 자식들이 아무리 괜찮다고 해도 소용없다 했다. 보다 못한 내가 말했다.

"할머니, 요즘 보이스피싱이 정말 많아요. 제가 매주 그런 사건을 보는 사람이잖아요. 피해자들 중에는 교수도 있고, 대학생도 있고, 심지어 판사도 있습니다. 작정하고 속이는 거라 잠깐만 방심해도 다 속습니다. 할머니 잘못은 하나도 없으니 너무 자책하지 마세요. 식사도 잘하시고요." 이 말을 들은 할머니의 얼굴에 화색이 돌았다.

같은 불행이 반복되는 것을 막으려면 불행의 원인을 정확히 찾는 게 중요하다. 그러나 불행을 극복하는 데는 원인 분석이 별 도움이 못 된다. 오히려 불행을 자책하면 빠져나오기가 훨씬 힘들어진다. 나 같은 사람은 성격 때문이든, 직업 때문이든 인과에 예민하다. 나는 매일매일 인과의 형틀 속에서 고문당한다. '내 삶은 내 잘못된 행동의 결과를 속죄하기 위함에 다름 아니다, 지금의 나는 과거의 결과이자 미래의 원인이다' 이런 생각을 하며 살던 내가 갑작스럽게 병을 얻고, 내 잘못된 습관 때문이 아니라 유전적 흠결 때문에 발병했을 가능성도 있다는 소견을 들었을 때, 적잖은 위안을 받았다. 그 후 나는 전보다 더 적극적으로 법정에서 피해자들을 위로한다. 당신 잘못이 아니라고.

27

건물의 꼭대기나 높은 곳에 서면 이형기 시인의 〈낙화〉가 생각난다. 꽃잎 지듯 몸 던지는 생이 얼마나 많은가. 그중에서도 져야 할 때가 아닐 때 지는 꽃은 얼마나 처연한가. 내가 법정에서 보는 낙화는 도무지 계절을 가리지 않는다.

피기도 전에 지는 꽃을 생각하니, 피는 꽃이 그저 측은하다. 재판이 끝나면, 영원에서 지상으로 투신한 영혼들도 쓸쓸히 법정을 떠난다. 부산에는 동백이 많다. 동백의 진짜 꽃말은 '애타는 사랑'이 아니라 '투신'이다.

✣

그날 부검실 도자陶瓷 침대 위에는, 동백 꽃잎처럼 붉게 져버린 소녀가 희미하게 미소 지으며 누워 있었다.

28

앞서가는 여자와 뒤따라가는 남자가 있다. 남자는 늘 여자의 흔적을 뒤쫓으며 여자의 체취를 느낀다. 여자는 다가올 미지의 남자를 예감하며 설렌다. 그러나 그들은 절대 만날 수 없다. 다른 시간을 살기 때문이다. 비극의 본질은 시차다. 그러나 앞서간 여자와 뒤따라가는 남자는 슬프지 않다. 만난 적이 없기 때문이다.

붙은 꽃들이 떨어진 꽃잎을 애도한다. 그것들을 보는 우리는 알고 있다. 운명이 다르지 않음을. 미래를 보는 자는 후대 사람이다. 그들은 전지적 관점에 있다. 극중 인물은 알 수 없으나 독자나 관객은 안다. 위험을 인지하지 못한다는 점에서 극중 인물은 아이와 같다. 아빠의 장례식장에서 천진하게 장난치는 아이를 보는 조문객과 관객의 가슴은 미어진다. 슬픔이 있는 곳이다. 관찰당하는 자는 슬픔의 한가운데 선 자다. 그러나 역설적이게도 슬픔을 잘 느끼지 못한다. 슬픔을 느끼는 자는 관찰하는 자다. 슬픔은 독자와 관객의 몫이다.

나는 매번 법대에 올라 비극을 주재한다. 법정의 비극은 무지하게 슬프다. 이들은 같은 시간을 공유한 적이 있어서다. 조앤 디디온이 《상실》(이은선 옮김, 시공사, 2006)에서 묘사한 것처럼 피해자들은 이상하리만치 침착하다. 슬픔의 한가운데 있기 때문이다. 나도 법정에서 무수히 본 사람들이다.

✣

걸어서 출근하는 어느 봄날. 먼 산에 개나리가 피었다. 축축 늘어진 가지마다 곱기도 하다. 개나리는 치렁치렁 피는 꽃이다. 그런데 나는 왜 개나리를 보며 피해자를 떠올리는가. 치렁치렁한 머리칼을 가진 여자의 눈에서 흐르던 치렁치렁한 눈물 때문인가. 무언가 뜨거운 것이 목으로 내려간다. 눈물인가. 나는 이제 목으로도 운다. 목울음이다.

29

뭔가를 잘 안다고 생각했으나 생각했던 것과 전혀 다른 모습을 보았을 때 우리는 두려움을 느낀다. 언캐니 밸리 실험도 비슷한 맥락이다. 이런 수법은 공포 영화나 스릴러에 많다. 착한 캐릭터인데 얼핏 악마가 겹쳐 보이면 무섭다. 그 반대도 흔하다. 분명히 악인인데 간혹 착한 일을 하거나, 사이코패스임에도 공감하는 모습을 슬쩍 보이면 캐릭터가 확 좋아진다. 나쁜 남자 신드롬도 비슷하다.

이 사례들에서 보듯 디폴트값은 사람이나 상황을 판단하는데 매우 중요하다. 우리는 기대하지 않거나 예상치 못한 것에 깊은 인상을 받기 마련이다. 그러나 이는 일종의 착시다. 대체로 착한 사람은 별 문제없는 사람이고, 많은 시간 악당 짓을 하며 살거나 사이코패스 성향이 있는 인간은 무조건 피해야 한다. 나쁜 남자는 십중팔구 나쁜 놈이다.

법정에서 이런 모습을 많이 봤다. 도대체 이런 사람에게 왜 속아서 전 재산을 갖다 바치지, 짐승만도 못한 인간인데 왜 합의를 해주지, 그렇게 두들겨맞고도 왜 이혼을 안 하지, 그렇게 당해놓고 왜 선처해달라고 하지, 라고 생각한 적이 많았는데, 이런 사건들을 가만히 보면, 피해자가 피고인에게 거는 기대치가 터무니없이 낮았다. 피고인이 피해자를 그렇게 길들인 것이다. 일주일에 닷새를 때리다가 이틀을 다정하게 군다. 이런 일이 반복되면 맞은 닷새는 평범한 일상이 되고 다정한 이틀에 감사하게 된다. 근본은 나쁘지 않다, 술이 문제다, 사람은 착하다, 따위의 말들이 어김없이 나온다. 매일 맞거나 일주일에 세 번 맞는 것을 기본으로 삼는 피해자는, 일주일에 한 번, 한 달에 한 번만 때려도 나쁜 인간이라는 점을 도저히 인식하지 못한다.

30

최선을 다하라, 절대 포기하지 말라는 격언에는 중요한 한 가지가 빠져 있다. 목적어다. 목적어가 정당하지 않다면 이것보다 무서운 말도 없다. 이 격언에 누구보다 충실한 범죄자가 무척 많음을 나는 잘 안다. 악마가 천사보다 훨씬 더 성실하다.

31

겨울날 밤에 산책을 하며 프란츠 카프카의 〈판결〉을 들었다. "익사형에 처하노라"라는 게오르크 아버지의 일갈에 깜짝 놀랐다. 게오르크가 강으로 뛰어들듯 나도 놀라 뛰었다. 아버지로부터 정신적으로나 경제적으로 독립하고 결혼까지 한 게오르크가 노망난 아버지의 광기 어린 말(판결)에 즉시 반응하는 장면은 충격적이고 공포스러웠다.

카프카의 아버지처럼 우리 시대에도 자식이 무의식적으로 강으로 뛰어들게 할 만큼 아들에게 해를 입히는 아버지가 얼마나 많은가. 비치 보이스The Beach Boys의 브라이언 윌슨의 아버지, 내 법정의 수많은 아버지. 나는 법정에서 아버지의 이름으로 저지르는 악행의 전모와 비극적 결말을 너무도 자주 본다.

✣

수신제가치국평천하. 중요한 건 언제나 가까이에 있다. 가족과 가정이 소중한 것은 천하를 다스리기 위함이 아니다. 천하의 치세와 무관한 필부가 얼마나 많은가. 수신제가에 담긴 함의는 스스로 수련하고 가정을 돌보는 일이 나라를 다스리고 천하를 도모하는 일만큼 혹은 그보다 더 중요하다는 것이다. 가정의 평안 없이는 어떤 일도 할 수 없다는 말임과 동시에, 가정을 잘 돌보는 것만으로도 가장 가치 있게 사는 것이라는 의미가 담겨 있다. 가정을 잘 건사하는 것이 세상을 평화롭게 하는 일이다. 가정폭력은 한 가정뿐 아니라 온 세상을 망치는 범죄다.

32

아내가 말했다. 세상에서 가장 좋은 일이 세 가지 있다고. 첫째는 나와 함께 드라마 보기, 둘째는 나와 함께 영어 공부하기, 셋째는 나와 함께 운동하기. 세 가지 일의 선후는 무의미하다. 세 가지 일의 내용도 얼마든지 다른 것으로 환치할 수 있다. 중요한 것은 '나와 함께'다. 곁에만 있어도 행복하다는 말보다 얼마나 구체적인가. 나는 내 아내를, 아니 어느 누구라도 이렇게 촘촘하고 꼼꼼하게 좋아해본 일이 있는가.

사랑은 너무도 추상적이라 특정한 형태로 구현되지 않으면 금방 회의하고 망각하게 된다. 그게 사랑이었는지 여부는 차치하고, 함께 드라마 보고, 공부하고 운동한 사실과 기억은 사라지지 않는다. 이런 기억을 공유하면서 사랑을 부정하기란 불가능에 가깝다. 정말 이렇게 생각했다. 법원에 오기 전까지는.

33

수많은 유형의 범죄가 있지만, 내가 가장 싫어하는 범죄는 사랑으로 사기 치는 거다. SNS에서 호감을 산 후 결혼을 비롯한 온갖 핑계를 대며 돈을 편취하는 로맨스 스캠Romance Scam 같은 범죄다. 재산상 피해는 말할 것도 없고, 정신적으로도 큰 피해를 남긴다. 내가 처리한 사건의 피해자는 대부분 중년의 독신이 많았는데 피해액이 엄청났고, 어떻게 이런 말에 속을 수 있나 싶을 정도로 어처구니없는 경우도 많았다.

여성이나 장애인, 아동이 범죄에 취약한 사람으로 꼽히는데, 외로운 사람도 이들 못지않게 취약하다. 외로움이 약점이다.

34

사망사건 기록에서 부검감정서를 숱하게 봤지만, 부검을 실제로 본 건 사법연수원 시절 검찰 시보를 나갔을 때가 처음이자 마지막이었다. 변사자 검시와 부검은 검찰 시보를 할 동안 최소 한 번은 겪는 일로 알려져 있었기에, 우리도 언제 부검이 잡히나 조마조마했다.

그러던 어느 날 오후, 담당 검사가 시보들에게 갑자기 부검 일정이 잡혔다고 통보했다. 시보들은 떨리는 마음으로 경북대학교병원으로 갔다. 차 안에서 검사는 "야, 이 친구들 운 좋아. 죽은 지 몇 시간 안 됐네. 그것도 20대 여자 시신이야, 지난 시보들은 사망한 지 보름쯤 지나 심하게 부패한 60대 남자였는데!"라고 말했다.

피해자는 그날 아침 모텔에서 남자 관계를 의심한 남자친구에게 칼로 20여회 찔려 살해됐다. CCTV 등을 근거로 빠르게 추적한 경찰은 가해자를 당일 체포했다. 부검실에 도착하니 이미 담당 형사들과 부검의가 시신이 놓인 부검대 주위에 빙 둘러서서 검사를 기다리고 있었다. 시신을 힐끔 보고 깜짝 놀랐다. 칼에 많이 찔렸음에도 사체가 생각보다 깨끗했고, 망자의 표정이 너무 평온해서 마치 잠을 자고 있는 것 같았기 때문이다. 칼에 난자되어 사망한 사람이라고는 도저히 믿을 수 없었다.

검사의 지휘에 따라 곧바로 부검이 시작됐다. 검사는 시보들에게 조금 떨어져 참관하되, 혹시 보기 힘들면 나가서 바람을 쐬고 오거나 아예 안 들어와도 된다고 말했다.

부검의는 중년의 노련한 의사였다. 검사의 지휘가 떨어지자마자 익숙하게 몸 여기저기를 꼼꼼히 살펴보며 외상 여부를 확인했다. 그다음에는 자를 이용해 가슴과 복부 주위에 집중적으로 난 자상의 폭과 깊이를 꼼꼼히 재고, 음부의 내외부 상태도 확인했다. 형사 두세 명이 옆에 있다가 부검의의 지시에 따라 시신을 돌리거나 뒤집곤 했는데, 어떤 사람은 장갑도 끼지 않은 채 시신을 만져 경악스러울 정도였다.

외상 여부의 체크가 끝나면, 두부頭部를 시작으로 본격적인 부검이 시작된다. 귀 바로 위쪽에서 반대 귀 위쪽까지 날카로운 칼로 두피를 자르고 앞뒤로 벗겨 뒤집은 후, 작은 의료용 전기톱을 이용해 두개골을 둥글게 절단한다. 머리 가죽을 앞뒤로 뒤집어놓으니 가슴과 등에 머리카락이 기괴하게 널려져 차마 쳐다볼 수 없을 정도로 공포스러웠다. 5월의 환하고 나른한 햇살은 처참한 모습 따위 아랑곳없이 부검실을 길게 사선으로 갈랐다. 그 반짝이는 햇살 속에 머리 뼛가루 먼지가 뽀얗게 피어오르는 장면은 지금도 잊히지 않는다.

부검의는 한 치의 망설임도 없이 뚜껑을 열듯 절단된 두개골을 들어낸 다음 뇌 상태를 체크하고, 뇌 조직 샘플을 채취해 병에 담았다.

그다음은 장기다. 날카로운 메스로 목 아래부터 음부 위까지 절개하는데, 평균보다 마른 체형임에도 지방층이 두꺼워 놀랐다. 그 후 톱을 이용해 장기의 관찰이나 절단에 지장을 주지 않을 만큼 양측 갈비뼈를 크게 잘라내고, 심장, 간, 위, 폐 등 주요 장기를 들어내 상태를 확인하고 샘플을 채취한다. 부검의는 부검 내내 녹음을 하는 동시에 검사와 참관자들에게 간단히 설명했는데, 폐 부위의 깊은 자상이 가장 치명적이고 직접적인 사인이라고 했다.

부검이 모두 끝나면 물건을 분해하고 조립할 때처럼 역순으로 시신을 수습한다. 그러나 분해 조립과 달리 시신의 복구는 꼼꼼하지 않다. 그럴 수도 없다. 적출했던 장기를 몸속으로 대충 쓸어 담고 밖으로 나오지 않을 정도로만 대충 꿰맨다. 머리 역시 뒤집힌 두피를 원위치한 다음 듬성듬성 꿰맨다. 이 정도만 해도 유족은 알 도리가 없다.

부검 내내 한두 명의 시보가 자리를 떴다. 나 역시 큰 충격을 받았지만 그래도 끝까지 참관했다. 평소 잔혹한 공포 영화조차 잘 못 보는 편이라 참관 전까지 걱정이 많았지만, 그래도 직업상 버텨야 한다고 생각했다. 베테랑 부검의나 형사들의 모습도 한몫했던 것 같다. 그들은 믿기 어려울 정도로 의연하고 사무적이었다. 너무 많이 해서 익숙한 것도 있었지만, 뭐랄까, 비록 사람의 시신을 만지고 있지만 이건 어디까지나 일이다, 라고 여기는 분위기였달까.

부검이 끝나고 돌아오는 차 안에서 검사는 아직도 충격에 빠져 멍한 시보들을 둘러보며 득의양양한 표정으로, "오늘 퇴근 후에 내장탕이나 먹으러 갈까?" 하고 히죽거렸다. 비위가 약한 사람들은 부검이 끝나면 한동안 내장탕을 못 먹는다면서.

나는 검사가 망자를 모욕하거나 불경을 저질렀다고 생각하지 않는다. 생각해보면 당시 그는 젊었다. 그도 부검을 많이 보진 못했을 것이다. 시보들 앞에서 경험 많은 검사로 보이고 싶은 마음과 죽음이 주는 긴장과 무거움을 어떻게든 떨쳐보려는 허세가 아니었을까 생각한다. 최소한 부검하는 순간만큼은 망자에 대한 예의는 없다. 그건 그 이후 절차다. 부검은 오로지 사인을 밝히는 데만 집중한다. 그 과정에서 시신은 가장 중요한 물적 증거일 뿐이다.

부검만큼 인간에 대해 많은 생각을 하게 하는 상황은 없다. 몸을 순수한 물질로 치환하는 순간이기 때문이다. 부검은 인간이 한낱 물질로 이뤄진 뼈와 살덩이라는 사실을 적나라하게 인식시킴과 동시에 그럼 과연 인간이란 무엇인가에 대해 계속 질문하게 만들었다. 의식과 정신, 마음과 영혼의 존재와 귀함을 인정하지 않을 수 없었다. 어떤 그릇에 담기든 중요한 건 물이다.

내가 놀라서 잘못 본 건지는 모르겠으나, 앳된 얼굴을 한 피해자는 평온한 표정으로 부검대 위에 누워 옅은 미소를 띠고 있었다. 부검을 마치고 검찰청으로 복귀하는 차 안에서 나는 그 미소를 떠올리며, 비록 짧은 생이었지만 그녀가 좋은 곳으로 가는 중이라 생각했다.

많은 시간이 흘렀지만, 다시 한번 고인의 명복을 빈다.

35

약자가 약자에게, 선이 선에게 분노하고 복수한다. 악은 그 모습을 보고 웃고 즐긴다. 요즘 내가 보는 법정의 모습이다. 그 모습을 보노라면 그저 슬프다. 법원에 오기 전에도 나는 이미 충분히 슬픈 사람이었는데, 법원에서 타인의 불행을 너무 많이 봐버렸다. 그걸 전부 담고 있을 수가 없어 이런저런 말을 하고 글을 썼지만, 솔직히 국면이 나아지리라는 것에 대한 전망은 없다. 아니, 자주 절망스럽다.

그럼에도 손 놓고 있을 수만은 없다. 가만히 있어도 죽고, 움직여도 죽는다면, 나는 한 발짝 앞에서 죽을 것이다. 그렇지 않다면 잠시나마 이 매혹적인 별에서, 이 아름다운 사람들과 함께 존재했던 의미를 어디서 찾겠는가. 한 걸음만이라도 더 나은 세상에서 죽고 싶다. 나는 적어도 희망을 껴안은 채 죽을 것이다.

빛보다 빠른 유일한 것은 인간의 의식뿐이다

1

커피를 다 내리면 찌꺼기가 남는다. 아메리카노 한 잔을 만들기 위해 약 15그램의 원두가 사용되는데, 이 중 99.8퍼센트인 14.97그램의 원두가 커피박이 되어 버려진다.

퇴근길 저녁 지하철에는 고된 업무를 마치고 귀가하는 사람들로 초만원이다. 세상이라는 여과지를 통과한 후 집으로 가는 길이다. 오늘도 그들의 0.2퍼센트는 커피가 되고, 통닭이 되고, 깨끗한 사무실이 되고, 보고서가 되었다. 나머지 99.8퍼센트가 지하철에 담겨 쓸쓸히 폐기된다.

✣

며칠째 사무실 밖 확성기에서 들리는 노랫소리가 자꾸 신경쓰인다. 나도 모르게 따라 흥얼거린다. 〈철의 노동자〉는 나 역시 많이 불렀던 노래다. 이 노래가 아직도 노동 현장에서 불리고 있다는 사실이 놀랍다. 노래의 생명도, 내 기억도, 세월의 무상함도 신기하지만, 무엇보다 자본의 질기디질긴 완강함이 경이로울 뿐이다.

2

헛된 것을 아름답게 하는 것은 죄악이다. (영화 〈500일의 썸머〉)

성실한 추종자들이 위인을 만들고 역사를 만든다. 사실 위대한 이는 추종자들이다. 위인은 추종자들의 도구나 표현 수단 또는 대표일 뿐이다. 위대한 추종자를 만나지 못해 스러져 간 위인이 얼마나 많을까. 반대로 어리석지만 성실한 추종자들 때문에 고평가된 사이비는 또 얼마나 많을까. 전자는 그저 아쉬울 뿐이지만 후자는 세상에 큰 해악을 끼친다.

사악한 것을 사악하게, 추한 것을 추하게, 졸렬한 것을 졸렬하게, 부정한 것을 부정하게, 무례한 것을 무례하게, 저열한 것을 저열하게, 비굴한 것을 비굴하게 정확히 언급해야 한다. 이런 것들에게 자비와 관용을 베풀 것인지는 나중에 생각할 문제다. 중요한 것은 악한 것을 선한 것인 양 포장해서는 절대 안 된다는 점이다. 실제로 많은 범죄가 이런 사이비를 분별없이 추종하는 사람들 때문에 크게 확산된다.

✣

안전거리는 추돌을 회피할 시간을 준다. 누군가를 맹목적으로 바짝 뒤쫓는 것은 위험하다.

3

실용주의나 도구주의는 이성이나 절대정신 같은 영원불변한 것을 부정하고, 경험적 가치판단을 중시하며, 곤란한 상태에 처한 인간에게 어떠한 도움도 주지 못하는 사상과 지식은 단지 모조품에 불과하다고 본다. 그래서 사람의 생명이나 존엄성을 두고 벌이는 원칙론과 고담준론, 탁상공론에 질려버린 내게는 상당히 매력적이다. 테오도어 아도르노Theodor Adorno의 지적처럼 나치즘이나 홀로코스트의 원인은 서양철학이 쌓아온 이성의 내부에 존재하는 폭력성이다. 인간이 경이로운 존재이기는 하나, 그 판단을 절대시해서는 안 된다. 인간을 절대시해야 하는 경우는 오직 보호 대상일 때뿐이다.

4

이루마의 〈When The Love Falls〉는 아름다운 피아노 연주곡이다. 나는 이 곡을 듣자마자 즉각적으로 분노와 슬픔을 느꼈다. 이 곡이 바로 1980년대 시위 현장에서 수없이 불렀던 〈오월가〉였고, 내게 〈오월가〉는 칼과 총, 금남로와 잘려진 젖가슴으로 기억되기 때문이다. 운동가는 대개 원곡이 있어 찾아보니 이 곡의 원곡은 미셸 폴나레프Michel Polnareff라는 프랑스 가수가 부른 〈누가 할머니를 죽였나Qui a Tué Grand Maman〉였다.

이 노래는 넝쿨과 꽃이 만발한 정원을 가꾸던 할머니가 무도한 개발자들의 불도저에 정원을 뺏기고 죽었다는 내용을 담고 있다. 미셸 폴나레프는 계속 묻는다. 누가 할머니를 죽였나? 시간인가? 아니면 시간이 남아도는 부자들인가?

〈오월가〉든 〈누가 할머니를 죽였나〉든 이 노래들의 미덕은 질문에 있다. 기화요초가 만발하던 정원도 시간이 지나면 황폐해지듯 독재자도 희생자도, 살인자도 피해자도 잊히는 게 당연한 이치지만, 그럼에도 그 모든 걸 시간이 벌인 일쯤으로 치부하고 잊어선 안 된다. 누군가 계속 물어야 한다. 누가 할머니를 죽였는지, 왜 총을 쏘고, 왜 칼로 찔렀는지. 그래야만 부자와 독재자가 시간 뒤에 숨어, 또 다른 할머니와 시민을 죽이지 못한다.

5

사람이 악하면 망해야 한다. 실패의 원인이 사람이 좋아서라는 말은 정말 듣기 싫다. 선이 약점인 양, 선한 사람을 밟고 올라서는 게 당연시되는 세상이 싫다. 선한 사람이 이기고 성공해야 한다. 고리타분하게 언제 적 권선징악이냐고 비웃어도 하는 수 없다. 나는 악이 이기는 30세기에는 살고 싶지 않다.

6

영화 〈가타카〉에서 안톤(로렌 딘)과 빈센트(에단 호크)는 바다 수영 시합을 한다. 바다 깊숙이 헤엄치다 먼저 되돌아오는 사람이 지는 경기다. 유전적으로 열성인 형 빈센트는 유전자 조작으로 태어난 동생 안톤에게 항상 지기만 하다 마침내 그를 이긴다. 그 결과를 믿을 수 없어하는 안톤에게 빈센트가 말한다. "난 되돌아갈 힘을 남기지 않아서 널 이기는 거야."

어떤 이에겐 단순한 시합이지만 어떤 이에겐 목숨을 건 사투가 되는 이런 경쟁이 과연 정당한가. 능력주의는 안톤과 빈센트의 수영 시합처럼 터무니없는 것이다.

7

코로나19나 기후위기 등으로 각종 삶의 지표가 악화되면서 예전의 유령도 다시 등장했다. 바로 우생학이다. 우생학은 19세기 후반 진화론의 득세와 함께 각광을 받았다. 사회적 약자를 도와주는 것이 적자생존의 법칙에 위배된다는 사회다윈주의Social Darwinism의 주장은 진화론에 편승해 잘 먹혀들었다.

"나는 광기와 지적장애, 습관적 범죄행위, 빈궁에 시달리는 족속들의 자유로운 증식을 방지하기 위해 엄격한 강제를 가해야 한다고 생각한다." 이 글은 복지예산의 증액 기사에 달린 악성 댓글이 아니다. 우생학을 창시한 프랜시스 골턴이 1908년 자서전에 쓴 내용이다. 선천적 요인만으로 인간을 분류하고 도태시키려는 우생학과, 타고난 배경과 조건이 천차만별임에도 사람을 능력으로 나누어 달리 취급하는 능력주의가 무엇이 다른지 아둔한 나는 여전히 모르겠다. 우생학이나 능력주의의 공리주의적

관점은 식량과 물 부족 사태가 오면 인류의 일부를 잉여로 만들지도 모른다.

룰루 밀러의 《물고기는 존재하지 않는다》(정지인 옮김, 곰출판, 2021)에 나오듯 사람이든 동물이든 계층의 사다리로 분류할 수 있다는 인식 자체가 환상이다. 그럼에도 우생학은 끈질기다. 전과자, 소년범, 장애인, 노숙인이나 소수자와 사회적 약자의 불행이 개인의 피할 수 없는 숙명이라고 여기는 한 우생학은 절대 사라지지 않는다.

국가안보와 국민의 건강과 생명이 위협받고 경제가 휘청대며, 기후위기가 일상을 무너뜨리고 자국의 이익만 추구하는 각국도생의 엄혹한 상황에서, 회기 내내 정쟁만 일삼는 사람들이 잉여인가, 보잘것없지만 자신이 가진 자원을 전부 투입해 하루하루 삶의 전선에서 존엄하게 버티는 사람들이 잉여인가. 도대체 누가 누굴 보고 잉여라 부르는가.

8

색에 대한 〈KBS〉 다큐멘터리 중 '초록' 편을 재미있게 보았다. 초록색이 욕망의 색이라는 점이 흥미로웠다. 그린백greenback을 보면 명확하다. 내용 중 경악스러웠던 것은 셀레그린과 라듐 페인트 사건이었다. 초록색 안료를 값싸게 얻기 위해 청산가리에 비소를 섞은 셀레그린은 빅토리아 여왕의 방 벽지부터 동시대 많은 제품(옷, 벽지)에 사용됐다. 발명가인 셀레는 위험성을 경고했으나 제작자들은 그걸 알고도 널리 유통했다고 한다. 현재 도서관에 소장된 빅토리아 시대 벽지는 비닐 여러 겹으로 밀봉되어, 사서도 장갑을 끼고 만질 정도라고.

라듐 페인트 사건은 미국 군수품 공장에서 라듐으로 만든 형광 페인트를 칠하던 여공들이 방사능 오염으로 극심한 고통 속에서 사망한 사건이다. 충격적인 사실은, 당시 라듐이 건강에 좋은 물질로 소개되었고(라듐 정수기까지 있었다고 한다), 사람들은 일종의 유행을 좇듯 라듐을 활용했다는 것이다. 군수품 공장 관리자가 여공들에게 라듐을 바르면 아름다워진다고 부추기며 작업을 독려했던 탓에, 여공들은 라듐 페인트가 묻은 붓을 입술과 볼에 바르기도 했다.

그들의 무지만을 탓할 수 있을까. 아니다. 무지에 편승한 거대한 탐욕이 더 문제다. 이런 일들이 과거만의 일일까. 천만에, 현재도 비일비재하다.

✣

빗방울은 홍수가 제 탓인 줄 모른다

The single raindrop never feels responsible for the flood (더글러스 애덤스)

사소한 악이더라도, 그것이 모여 임계 총량을 넘으면 마침내 댐이 무너진다. 한나 아렌트가 옳다.

9

죽음은 자국과 흔적을 남긴다. 시반과 시강은 법의학에서 사망 시점을 특정하는 중요한 징후다. 가해의 충격은 시반과 시강처럼 생존한 피해자에게도 반흔과 강직을 남긴다. 마음이 죽기 때문이다.

10

의사가 죽음을 보는 사람이라면, 판사는 죽음을 읽는 사람이다. 법원과 죽음은 떼려야 뗄 수 없다. 숱한 죽음 중에서 나는 주로 자연사가 아닌 변사(자살, 타살, 과실사, 재해사)를 다룬다. 요즘 같은 시대에는 부고가 별다른 뉴스거리도 못 되지만 나라 안팎으로 정말, 죽어도 너무 많이 죽는다. 법정에서 마주치는 죽음 중에서도 아동 사망은 단연코 참혹하다. 나 역시 형사합의재판을 하며 자녀 살해 후 자살 사건을 몇 건 처리했는데, 18년 판사 생활 동안 가장 고통스러운 순간이었다.

2014년 2월 26일 '마지막 집세와 공과금'이라는 메모와 함께 70만 원이 든 봉투를 남기고 자살한 송파구 세 모녀 사건이 있은 지 10년이 다 되어간다. 상황이 좀 나아졌을까. '일가족 자살'이란 키워드로 웹상에서 대충 검색해본 2023년 결과는 눈 뜨고 볼 수 없을 정도다. 2023년 현재(11월)까지 대략 쉰 명이 가족에 의해 살해되거나 함께 자살했다. 이 정도면 사회안전망이 거의 붕괴된 것 아닌가.

67세 남성(폼클렌징 13,000원어치 절도), 41세 일용직 남성(음주운전 재범), 67세 남성(공원에서 절도), 50세 정신질환 여성(위증), 75세 남성(절도 집행유예 기간 중 바나나우유 절도). 이 사람들은 최근 사망한 내 재판부의 피고인들이다. 1년 6개월 남짓 동안 열한 명이나 죽었다. 그중 바나나우유만 훔치던 칠순 노인이 특히 기억에 남는데, 중증의 알츠하이머 환자를 왜 보호시설에 보내지 않고 자꾸 기소하는 건지 이해할 수 없었다. 현행법상 형사부 판사가 피고인의 삶에 직접 개입할 방법은 없다. 그래도 재판하는 동안 보호시설을 한번 수소문해보려 했지만 한발 늦었다. 그렇게 돌아가실 줄 알았다면 바나나우유라도 몇 박스 사 드릴걸 그랬다.

죽음은 남녀노소, 지위고하, 빈부를 가리지 않고 전방위적이지만, 내가 법정에서 본 죽음은 집요하게 취약계층만을 공격했다. 어떤 이가 취약할까. 돈, 질병, 실패 등 여러 원인이 있지만, 가장 취약한 사람은 사랑에서 멀어진 사람들이다. 자신에 대한 사랑, 사적 사랑(가정), 공적 사랑(복지)으로부터 멀어질수록 죽음과 가까워진다.

대한민국은 1년에 약 13,000명이 자살하는 나라다. 2019년 12월 이후 최근까지 4년 동안 코로나19 사망자가 35,000명 정도인데, 4년간 자살자는 52,000명에 달한다. 비공식 자료에 의하면, 개전 후 1년 동안 러시아 침공으로 전사한 우크라이나 군인이 17,500명 정도다. 자살로 인한 사망자가 코로나19 사망자보다 많고, 대규모 전쟁과 맞먹는다. 이 정도면 비상사태를 선포할 만한 국가적 재난 아닌가. 마약과의 전쟁이나 카르텔에 대한 선전포고도 좋지만, 진짜 가공할 적은 자살이다. 지금이라도 자살과의 총력전에 돌입해 사지에 몰린 사람들을 구출해야 한다.

"과거의 내가 지켜준 삶이야, 절대로 자살 안 해."(드라마 〈아리스 인 보더랜드〉) 이 대사처럼, 현재의 나는 살려고 안간힘을 다해 버둥댄 과거의 내가 만든 소중한 성과물이다. 이제 와서 자살해버리면 과거의 나를 볼 면목이 없다. 아니, 이건 자살도 아니다. 살아남고자 열망했던 어제의 나를 죽인 것이다. 어떤 경우든 자살은 자살자의 순수한 의지만으로 성공할 수 없다. 정신적 문제든, 개인적·사회적 이유든, 방아쇠를 당기게 만든 원인이 있다. 모든 자살은 타살이다.

11

법원에도 공무직으로 근무하는 분들이 있다. 지나치면서 가볍게 인사를 하긴 하지만, 접촉이 없다 보니 이분들은 거의 투명인간에 가깝다. 옥상에서 담배를 다 피우고 들어가려던 순간 본의 아니게 청소하는 아주머니들의 대화를 엿듣게 되었다.

"한 번도 아니고 두 번 실패해가지고, 애들 데리고 우째 살아야 되지."

나는 담배를 한 대 더 꺼내 피우고, 평소보다 곱게 끄고 나왔다.

12

마트에서 먹을거리를 훔치다 온 중년 남자는 건초 같았다. 심하게 말랐고 병색이 완연했다. 처벌은커녕 건강이 걱정되어 이것저것 물었다. 위암 수술을 받은 지 얼마 되지 않았고, 혼자 살면서 기초수급금으로 겨우 버틴다고 했다. 말투나 눈빛에서 삶에 대한 피로가 뚝뚝 묻어났다.

아직 젊으니 마음 단단히 먹고 건강에 신경 쓰라고, 혼자 감당하기 버거우면 주변에 도움을 요청하라고 당부했다. 그러자 남자는, 이번에 경찰서에 간 김에 사정을 얘기했더니 어디서 반찬을 지원해줬다고 웃었다. 남자의 미소가 반찬에 어울리지 않게 과분하다는 생각이 들었다. 반찬이 아니라 세상의 드문 호의에 대한 미소일 거라 짐작했다. 남자는 살아남을 수 있을까.

임대차계약서, 소득재산신고서, 월급명세서, 고용확인서, 근로능력평가용 진단서, 통장거래내역서 1년치… 행정복지센터

홈페이지에 소개된 기초생활보장수급자 신청에 필요한 서류들이다. 몸이 아파 거동이 불편하고, 정신이 온전치 못한 사람들이 이런저런 서류를 떼고 복지센터에 들르거나 인터넷에 접속해 일을 처리할 수 있을까. 사람이 궁핍한 상황에 빠지면 심리적으로 엄청나게 위축되는데, 가난을 품 안 가득 안고 다니며 펼쳐놓고 떠벌리고 싶을까.

가난은 어쩔 수 없다 쳐도 관료주의나 행정편의주의가 사람을 죽이는 건 참기 어렵다. 우리만의 문제도 아니다. 심장질환으로 실직한 다니엘 블레이크는 질병수당을 받지 못해 구직수당을 신청하지만, 구직수당을 받으려면 규정상 구직활동을 해야 한다. 다니엘은 컴퓨터에 서툰 탓에 구직활동을 증명할 수 없어 죽어간다(영화 〈나, 다니엘 블레이크〉). 남자친구의 폭력으로 20대 싱글맘이 되어 근근이 버티는 스테퍼니 랜드 같은 저소득층도 푸드 스탬프(식료품 구매권)를 받으려면 먼저 일자리를 찾아야 한다. 어렵게 취직해 푸드 스탬프로 결제하는 스테퍼니의 면전에다 대고 물건값을 대신 계산해주기라도 한 양 "고맙단 말은 안 해도 돼!"라고 모욕하는 노인도 있다.* 도대체 언제까지 반년 전에 고

* 스테퍼니 랜드, 구계원 옮김, 《조용한 희망》, 문학동네, 2020.

독사한 독거노인과 중년 남자와 최고은 작가와 송파구 세 모녀와 또 다른 모녀의 뉴스를 들어야만 하는가.

가난은 합리적 의심을 넘어 증명되어야 하는가. 깡마른 몸과 허기와 굴욕으로 흔들리는 눈빛이면 충분하지 않은가. 범죄 경력이나 납세실적처럼 간단한 조회 정도로 확인할 순 없을까. 당장 사람부터 살려놓고 혹시 요건에 미치지 못함이 밝혀지면 나중에 구상하면 안 될까. 긴급히 도움을 요청함에도 요건 불비로 거절하거나 미뤄도 되는 가난이라는 게 대체 있기나 한가.

송나라 범문정공范文正公이 태수로 있을 때 술자리를 열려다 우연히 준비가 전혀 안 된 선비의 장례를 목격한 뒤 술자리를 물리고 후한 부의로 장례를 치르게 했다는 일화에 대해 정선은 "선행을 저해하는 부류가 있으니 상사喪事를 도와주는 것을 보면 산 사람이 먹고사는 것이 중요하다 하고, 남을 구제하는 것을 보면 궁한 친척을 구휼해주는 것이 중요하다 한다. 친척을 친척으로 대하고 사람을 사랑하는 일은 반드시 한 가지 일이 끝나야 다른 한 가지 일을 할 수 있단 말인가?"라고 평했다. 다산은 이 말을 받아《목민심서》에 "혹시 비참한 일이 눈에 띄어 측은한 마음을 견딜 수 없거든 주저하지 말고 즉시 구휼을 베푸는 게 마땅하다"고 썼다.

어떤 산이 명산인가. 가까운 산이다. 어떤 사랑이 최고인가. 지금 당장 하는 사랑이다. 구휼도 같다. 도울 일이 눈앞에 있고, 도울 능력이 되면 즉시 도와라. 구할 사람이 보이고 구할 수 있으면 즉시 구하라. 이런저런 핑계로 미루는 건 결국 돕거나 구할 마음이 없는 것이다. 건초 같은 남자에게는 형사처벌이 아니라 도움이 절실하다. 사회복지는 공적 사랑의 다른 이름이다. 사적 사랑이 끝나면 공적 사랑이 신속하게 이어져야 한다. 그래야 사람이 산다.

13

법정은 고통의 경연장이다. 기일마다 절박한 한숨과 눈물 속에 재판이 열린다. 법정의 풍경을 묘사해보라고 하면 비탄에 잠긴 사람들 말고는 그릴 게 없다. 피해자의 고통은 마땅하다. 범죄 피해자의 자리 이외에 극한의 슬픔이 더 잘 어울리는 곳이 또 어디 있을까. 뻔뻔스럽게도 피고인 역시 고통을 호소한다. 애통함의 전시 속에서 판사는 고통과 슬픔에 절여진다.

어떤 고통이 사람을 무너뜨리는가. 흉악하고 끔찍한 사건에서 비롯된 것일까. 내가 지켜본 바로는 꼭 그렇지 않다. 대단한 원한 때문에 사람을 살해하는 게 아니다. 욕 한마디 들었다고, 어깨빵 한 번 당했다고 칼로 찌른다. 큰돈이 없어 자살하는 것이 아니다. 한 달치 월세나 한 끼 식대가 없어도 생을 포기한다. 등짐 위에 떨어진 깃털 하나에 낙타가 풀썩 주저앉듯, 작지만 확실한 고통이 사람을 절망으로 내몬다. 물론 낙타는 깃털 때문이 아니라 누적된 수만 보의 걸음 때문에 쓰러진 것이다. 범죄자나 파산자에게도 범행과 파산 이전에 폭력과 학대, 대를 이은 빈곤이라는 무수한 걸음이 있었음을 잊어서는 안 된다.

두어 해 전 가압류 등 잡다한 사건을 처리하는 신청단독재판부를 맡은 적이 있다. 그 업무 중에 '압류금지채권의 범위 변경 신청'이 있었다. 예금통장이 압류된 채무자가 생계가 어려우니 압류를 일부 풀어달라는 신청이다. 법에 정해진 한도는 185만 원인데 실제 신청은 20만 원도 있고 50만 원도 있었다. 모든 계좌를 탈탈 털어도 이 정도밖에 없다는 말이다.

온갖 사건사고로 지면이 도배되는 동안에도, 가난한 청년과 자영업자와 주부가 빚에 몰려 개인파산을 신청하고, 유치원비를 내는 잔액 59만 원짜리 통장을 압류당해 법원에 그걸 풀어달라 요청하고, 직장과 집을 잃고 급기야 아이도 잃고, 일당 10만 원을 벌려고 기꺼이 보이스피싱 조직의 수금책이 된다. 자식들의 짐이 되기 싫은 80대 노인은 소금꽃 활짝 핀 점퍼를 걸친 채 파지를 줍고, 길가에 세워둔 자전거를 싣고 가다 절도범으로 몰려 즉결심판을 받는다. 법원에 접수되는 사건 중 언론에 오르내리는 사건은 극히 일부다. 대개는 소액, 지급명령, 약식, 즉결, 과태료, 신청, 비송 같은 소소한 사건이다.

권력투쟁, 부동산, 경제성장률, 외교안보처럼 뉴스에서 집중적으로 다뤄지는 서사의 스케일은 장대하다. 이런 시국임에도 한가한 나는, 압류된 예금을 풀어줄지, 마트에서 세 차례 햄을 훔친 노파의 벌금을 또 한 번 봐줄지 따위를 놓고 고민한다. 하지만 나는 내 번민의 무게를 조금도 가벼이 여기지 않는다. 정권의 교체는 사람들을 쓰러뜨릴 수 없지만, 예금 59만 원과 벌금 5만 원은 지금 당장 누군가의 다리를 꺾는 육중한 깃털이 될 수 있음을, 사람을 무너뜨리는 작지만 확실한 고통이 무엇인지를, 내가 잘 알기 때문이다.

그렇다고 판사가 언제까지 사람들을 서 있게 할 수는 없다. 이건 원래 정치의 몫이다. 별볼일없는 사람들의 소소한 불행을 너무 많이 보는 내가 생각하는 좋은 정치란, 소확행으로 눈속임하지 않고, 더 크고 확실한 행복을 추구하며, 고통에 있어서만큼은 내력을 잘 살피고, 하찮은 아픔 하나까지 헤아리는 것, 그 이상도 이하도 아니다.

14

언젠가 아파트 베란다에서 놀이터를 내려다보다 가슴 철렁한 적이 있다. 너덧 살쯤 된 아이가 혼자 공을 튕기며 놀고 있었다. 1분이 지나고 5분이 지나도 아무도 나타나지 않았다. 아이는 울지도 않고 태연히 놀고 있는데, 나는 시간이 갈수록 초조해졌다. 다시 5분쯤 흐르고 아빠로 보이는 남자가 나타나 같이 공을 주고받았다. 그제야 나는 안도했다.

소년부로 오는 소년들도 울지 않는다. 울어봐야 아빠가 나타나지 않으리라는 걸 잘 알기 때문이다. 소년은 웃지도 않는다. 웃을 일이 없기 때문이다. 소년은 화내거나 원망하지도 않는다. 그래봐야 아무 소용없다는 걸 오래전부터 잘 알기 때문이다.

15

미성년 자녀가 있는 부부가 이혼할 때면 양육권 분쟁이 벌어진다. 서로 키우겠다는 건 봐줄 만한데, 서로 안 키우겠다는 건 목불인견이다. 엄마와 아빠가 헤어지면, 아이도 쪼개진다. 마음이 분열된 아이는 둘, 셋으로 자란다. 그러다 조현병 환자가 되기도 한다.

✣

폭력은 고양이에서 개로, 개에서 아이로, 아이에서 여성으로, 여성에서 불특정 다수로 확대된다. 불이 큰불 앞에 멈추듯, 폭력은 대등하거나 우월한 폭력 앞에서야 멈춘다. 태울 것이 아무것도 없어야 멈춘다. 폭력은 불이고 파국이다. 폭력이 지나간 자리에 남는 게 하나도 없다.

16 ✣

누나 왜 그랬잖아 우리

그랬던 적이 있잖아

아빠는 낚시하고

엄마는 수박 썰고

우리는 죽어라 놀고

기억 안 나

기억 안 나

그런 적 없어

✣ 아동학대나 친족 성범죄사건에서 피해 아동의 친모가 피고인(남편)의 선처를 구하는 경우가 의외로 많다. 어느 날 아버지에게 강간당한 딸이, 방청석에 앉아 있는 친모를 등지고 증언하는 모습을 보다 문득 떠오른 글이다. 그 아이의 눈빛이 꼭 이렇게 말하는 것만 같았다.

아니 있었어도 없어

그 새낀 짐승이야

그 여잔 엄마도 아냐

17

내 청춘은 가스통처럼 옮겨다녔다

비바람이 헬멧을 거세게 흘러갈 때

달리지 않는 것들은 미끄러운 시선 밖으로

줄기차게 밀려난다✤

이 시를 읽으면 소년부 아이들이 떠오른다. 가스통 같은 아이들. 정처 없고 위험하며, 빠르게 질주해서 달아나는 아이들. 달리는 사람의 시선에서는 멈춘 것들이 빠르게 움직인다. 물리적인 힘을 동원하지 않고 달리는 걸 멈춰 세우려면, 결국 비슷한 속도로 같이 달려야 한다.

소년부 판사 시절을 되돌아보면 후회되는 게 바로 이 지점

✤ 윤성택, 〈청춘은 간다〉, 《리트머스》, 문학동네, 2006.

이다. 나는 아이들을 완력으로 멈춰 세우고 내 시선 아래 두려고만 했지, 같이 달리면서 볼 생각을 미처 못 했다. 그래서 그렇게 힘들었던 걸까. 아이들도, 나도.

18

1955년 에드워드 스타이컨Edward Steichen이 뉴욕 현대미술관MOMA에서 기획했던 전설적인 사진 전시회 '인간가족Family of Man'을 좋아한다. 그중에서도 마지막 사진으로 쓰인 유진 스미스의 〈낙원으로 가는 길Walk to Paradise Garden〉(1946)은 특별하다. 1945년 오키나와 전선에서 다친 유진 스미스가 요양을 마치고 뉴욕 자기 집 근처에서 아들 팻과 딸 와니타를 찍은 사진이다. 그 옆에는 "너희의 발걸음 아래 세상은 태어날 거야A world to be born under your footstep"라는 프랑스 문호 생존 페르스Saint-John Perse의 글이 적혀 있다.

그때나 지금이나 아이들이 희망이다. 어둠을 벗어나 빛 속으로 나아가는 아이들이 존재하는 한, 희망을 버려서는 안 된다. 아이들을 위해 우린 반드시 터널을 뚫어내야 한다.

19

이해는 합니다. 법정에서 내가 자주 하는 말이다. 김훈 작가는《칼의 노래》(2001)의 첫 문장을 쓸 때, "버려진 섬마다 꽃이 피었다"와 "버려진 섬마다 꽃은 피었다"를 두고 고심했다고 한다. 그의 고민*이 사실의 세계를 묘사할 것인가(꽃이), 의견과 정서를 표현할 것인가(꽃은)의 선택에 선 미학적 문제라면, "이해는 한다"의 '는'은 실존의 문제다. 영화 〈신세계〉 속 이중구의 "살려는 드릴게"와 다를 게 없는, 참 잔인한 말이다.

* 김훈,《바다의 기별》, 생각의나무, 2008.

20

'며느리밑씻개' '오랑캐꽃' '아기똥풀꽃' 등 풀과 꽃의 이름에도 혐오와 편견이 작동한다. 심한 이름이다. 명명은 존재를 바꿀 만한 힘이 있다. 써니사이드업과 달걀 프라이, 밸크로와 찍찍이, 나대지와 공터, 슬리퍼와 딸딸이는 완전히 다른 물건이다. 버려진 아이(기아)와 발견된 아이처럼.

21

법원에 근무하면서 암초에 좌초해 수장된 사람들, 늪에서 빠져나오지 못한 아이를 참 많이도 봤다.

천신만고 끝에 자수성가한 스토리는 개인적 미담일 수 있지만, 사회적으로 보면 반성해야 하는 이야기다. 그처럼 혼자 힘들게 헤쳐나올 동안 왜 팔짱 끼고 도와주지 않았는가. 성공을 위해 실패와 고난이 필요하다는 것도 한가한 소리다. 항상 해피엔딩을 맞는 승자의 논리고 결과론일 뿐이다. 능력과 의지가 있어도 상당수 사람은 고난을 헤쳐나갈 여건이 안 된다.

일어나요, 힘내요, 견뎌요, 그 정도 고난은 아무것도 아니에요 따위의 말도 전혀 도움이 안 된다. 일어날 힘이, 견딜 힘이 없어 무너지는 게 아니다. 사소해 보이지만, 사람들은 각자의 맥락에서 무너지는 지점이 있다. 사람이 쓰러지려 하면, 우선 재빨리 다가가 부축해주고 어깨부터 내어줘야 한다.

✣

오디오 파일의 격언 중에 '가비지 인, 가비지 아웃garbage in, garbage out'이라는 말이 있다. 소스 기기(CD 플레이어, 턴테이블, 튜너)나 음원 자체의 질이 떨어지거나 녹음 상태가 좋지 않으면, 아무리 좋은 앰프와 스피커로 재생해도 좋은 소리가 나올 수 없다는 의미다.

이 말처럼 환경이나 주어진 조건을 뛰어넘기는 정말 어렵다. 소년범들을 보면서 항시 품었던 의문은, 부모나 사회가 아이들에게 맨날 폭력이나 가난, 증오, 차별, 혐오 같은 온갖 가비지만 인풋해놓고선, 왜 넌 항상 쓰레기만 배설하냐고 타박하는 게 아닌가 하는 점이었다. 꽃도 주고, 맛난 것도 주고, 돈도 주고, 사랑도 준 뒤에, 가비지 아웃을 비난해야 하는 것 아닌가.

쓰레기가 쓰레기를 낳는다는 말, 이건 오디오의 우생학이라 부를 만한데, 그래도 사람은 다르다. 진창 속에서 꽃을 피우고, 인과율을 넘어설 수 있는 유일한 존재가 바로 사람이다. '가비지 인, 트레저 아웃garbage in, treasure out.' 진정한 연금술은 사람만 할 수 있다. 사람이 위대한 이유다.

22

〈가장 따뜻한 색, 블루〉나 〈타오르는 여인의 초상〉, 〈콜 미 바이 유어 네임〉 같은 퀴어 영화를 보면, 처음엔 낯설지만 금세 편해진다. 그들의 삶에 적응되고 서사에 익숙해지면, 오히려 아델이 남자를 만나고, 엘리오가 여자를 사랑하는 게 어색하다.

동성애뿐 아니라 평균적이지 않다고 여겨지는 많은 삶도 들여다보면 그저 삶의 문법이나 단어의 용례, 게임의 규칙이 살짝 다른 것뿐이다. 그게 전부다. 고작 그거다. 그 차이 때문에 무수한 사람을 죽이고 차별할 수 있는 게, 역시 사랑이라면 죽고 못 사는 인간이라니.

23

1년짜리 미국 연수를 마칠 무렵, 당시 10학년이던 큰아이가 미국에 남고 싶다고 해서 고민에 빠진 적이 있다. 한국으로 가면 고1이나 고2로 복학해 끔찍한 입시 경쟁을 치러야 하는 게 눈에 훤히 보였기 때문이다. 아이를 설득해 함께 한국으로 돌아왔지만, 당시 나는 가족을 모두 미국에 남기고 기러기 생활을 몇 년 하다, 미국으로 합류하는 방안을 진지하게 생각했다. 그러나 내가 미국에서 돈을 벌 수 있는 일이 도저히 없었다. 우스개로 우버 기사를 하면 되겠다고 말하곤 했지만, 미국에 정착한다면 농담이 아니라 현실에 가까운 일이었다. 생계도 생계지만 한국에서는 높은 사회적 지위와 힘을 가진 것으로 알려진 판사라는 직업이, 미국에서는 아무짝에도 쓸모없다는 자각이 자못 충격이었다.

언젠가 들은 라디오에 카이스트 김대식 교수가 나왔다. 그가 세계화를 말하며 애니웨어 피플(anywhere people, 세계 어디에서든 일하며 살 수 있는 사람들로 전 세계 인구의 20퍼센트 정도)과 섬웨어 피플(somewhere people, 한 지역에서만 일할 수 있는 사람들)에 대해 설명했다. 영어를 사용하는 컴퓨터 프로그래머는 세계 여러 곳에서 살 수 있는 애니웨어 피플이지만, 석탄을 캐는 광부는 광산지역에서만 살 수 있는 섬웨어 피플이라는 것이다.*

대한민국 판사도 전형적인 섬웨어 피플이다. 아마 우리 대부분 그럴 것이다. 이처럼 우리의 권력과 지식, 명예와 사회적 지위는 대단히 국지적이다. 어떤 이의 영향력은 기껏해야 가정 정도에 불과하고, 어떤 이는 학교, 마을, 시군구 정도에서만 능력자일 뿐이다. 아무리 넓혀봐야 국가 단위다. 오늘날처럼 세계화된 시대에 한국이라는 좁은 곳에 바글바글 모여 사는 우물 안 개구리들이, 다른 곳에서 온 이주자들을 차별한다는 것이 사실은 얼마나 어이없는 일인가.

* 김대식, 《그들은 어떻게 세상의 중심이 되었는가》, 21세기북스, 2019.

24

왜 작은 일상이나 사소한 것들이 중요한가. 통제 가능성 때문이다. 행복과 성공, 사랑은 통제하기 어렵고 즉각 효과가 나타나지도 않지만, 넥타이 한 개, 선곡 하나, 커피의 종류나 지하철의 경로는 내가 통제할 수 있다. 그런데 역으로 작은 것들조차 통제할 수 없으면 정말 고통스럽다. 누군가 내 일상을 방해하면 무척 짜증난다.

간혹 이해관계가 충돌할 때 사적 통제가 가로막힌다. 이때 대부분은 충돌한 상대방을 탓한다. 그러나 그들도 우리와 마찬가지로 통제권이 없는 경우가 대부분이다. 이때는 통제권을 쥔 사람을 비난해야 한다. 전국장애인차별철폐연대의 지하철 탑승 시위에서 우리는 누구를 비난해야 하는가. 이 상황에 대한 통제권은 누구에게 있는가. 답은 뻔하다.

25

한국장애인개발원이 발간한 〈2022년 장애통계연보〉에 따르면 우리나라 장애인은 전체 인구 대비 대학진학률이 3배 낮고, 비장애인 대비 소득은 70퍼센트 정도인데, 실업률은 1.75배, 비정규직 비율은 2배, 빈곤율은 2.4배 높다. 그보다 더 놀라운 통계는 우리가 OECD 평균보다 장애인이 4배 적다는 것이다. 쉽게 인정하지 않아서다.

다음은 그 사례다. A는 초등학교 2학년 무렵부터 틱 증상을 보이다 뚜렛증후군(음성과 운동 틱이 모두 나타나고 유병 기간이 1년을 넘는 경우) 진단을 받았다. 초등학교 6학년부터 10년 넘게 치료받았음에도 나아지지 않았고 급기야 앉아서 일할 수도, 다른 사람과 대화를 나눌 수도 없었으며 차를 타고 장시간 이동조차 할 수 없었다. 그런데도 양평군수는 A의 장애인 등록 신청을 반려했다. A가 행정소송을 제기했지만 2015년 1심마저 A의 청구를 기각했다. 2019년 10월 31일, 대법원은 최종적으로 A의 손을 들어주었다(2016두50907 판결).

대법원이 장기간 고민한 이유는 무엇일까. 장애인복지법에는 "장애인이란 신체적·정신적 장애로 오랫동안 일상생활이나 사회생활에서 상당한 제약을 받는 자"라고 규정되어 있다. 하지만 시행령이 장애 유형을 열다섯 가지(지체, 뇌병변, 시각, 청각, 언어, 지적, 자폐성, 정신, 신장, 심장, 호흡기, 간장, 안면, 장루·요루, 뇌전증)로만 규정해놓았고 뚜렛증후군은 이 유형 어디에도 해당하지 않아서였다. 대법원은 명시적인 규정이 없더라도, 해당 장애와 가장 유사한 장애 유형에 관한 규정을 찾아 유추 적용하는 것이 모법의 취지와 평등원칙에 부합한다고 봤다.

제법 오래 판사로 있었지만, 법 해석은 언제나 어려운 작업이다. 실정법의 불비나 한계에 봉착할 때면 더욱 그렇다. 물론 쉽게 가는 길도 있다. 초청장에 이름이 있는 사람만 입장시키는 것이다. 그러나 이건 판사로서 올바른 자세가 아니다. 열거되지 않았다고 실격시켜도 되는 인간은 없다. 가능한 모든 해석에도 답이 안 보일 때, 비로소 판사는 의회 쪽을 쳐다봐야 한다.

앞선 대법원 판례의 입장이 비효율적일까. 그렇지 않다. 지하철 역사의 엘리베이터는 노인이나 임산부, 캐리어 이용자가 훨씬 더 많이 사용한다. 장애인 접근성을 보장하기 위한 편의시설은 비장애인에게도 큰 편익을 준다. 이걸 '유니버설 디자인'이라 부른다. 인권 역시 유니버설 디자인으로 설계된 것이다. 장애인이 보호되면 그 이상으로 비장애인도 보호받는다. 역으로, 소수자의 인권이 침해되면 모든 사람이 피해를 입는다. 뚜렛증후군 환자의 탑승을 거부한 양평군수처럼, 무정차로 달려간다고 우리가 바라는 사회에 빨리 도달하는 게 아니다. 그런 지하철의 정차역에서는, 나는 내리고 싶지도 않다.

26

뇌성마비 중증 지체·장애인 마흔두 살 라정식 씨가 죽었다.

조문객이라곤 휠체어를 타고 온 망자의 남녀 친구들 여남은 명뿐이다.

이들의 평균수명은 그 무슨 배려라도 해주는 것인 양 턱없이 짧다.

마침 같은 처지들끼리 감사의 기도를 끝내고 점심 식사 중이다.

떠먹여 주는 사람 없으니 밥알이며 반찬, 국물이며 건더기가 온데 흩어지고 쏟아져 아수라장, 난장판이다.

그녀는 어금니를 꽉 깨물었다. 이정은 씨가 그녀를 보고 한껏 반기며 물었다.

#@%, 0%·$&*‰ ㅐ #@!$#*?(선생님, 저 죽을 때도 와주실 거죠?)

그녀는 더 이상 참지 못하고 왈칵, 울음보를 터뜨렸다.

$#·&@╲%, *&#……(정식이 오빤 좋겠다. 죽어서……)

입관돼 누운 정식 씨는 뭐랄까. 오랜 세월 그리 심하게 몸을 비틀고 구기고 흔들어 이제 비로소 빠져나왔다, 다 왔다, 싶은 모양이다. 이 고요한 얼굴, 일그러뜨리며 발버둥 치며 가까스로 지금 막 펼친 안심 창공이다.✣

처절한 시다. 시인의 시각과 표현이 그저 놀랍다. 몸이 감옥이다. 탈옥한 정식 씨의 명복을 빈다. 아직 탈옥하지 못한 많은 이와 너무 편해서 감옥인 줄도 모르는 모든 사람의 안녕을 기원한다.

✣ 문인수, 〈이것이 날개다〉, 《배꼽》, 창비, 2008.

27

뮤지컬 〈레 미제라블〉에는 워낙 기억에 남는 명곡이 많다. 〈Do You Hear the People Sing?〉의 합창을 들으면 피가 끓어오르고, 판틴의 〈I Dreamed a Dream〉이나 에포닌의 〈On My Own〉을 들으면 처연함과 연민에 가슴이 찢어진다. 그러나 나를 가장 울린 곡은 마리우스의 〈Empty Chairs at Empty Tables〉였다. 이상과 혁명을 함께 꿈꾸던 친구들을 모두 잃고, 홀로 남아 절규하는 마리우스의 슬픔과 죄책감이 내 마음에 고스란히 전이되었기 때문이다.

빈 의자와 빈 책상은 상실을 생각할 때면 항상 떠오르는 이미지다. 이 이미지가 최초로 각인된 것은 아마 1980~1990년대였던 것 같다. 당시는 세상을 떠들썩하게 만든 어린이 유괴사건이 많았다. 유괴된 아이가 끝내 돌아오지 못하면 방송사는 으레 아이가 다니던 학교를 찾아가 빈 책상과 의자를 비추고, 반 친구들의 울먹이는 인터뷰로 뉴스를 끝맺곤 했다. 그 후로 한동안 내게 빈 의자와 빈 책상은 시위로 폐쇄된 대학 강의실의 모습이었다가, 최근에는 수학여행에서 끝내 돌아오지 못한 아이들의 교실 모습으로 바뀌었다. 그렇게 우리는 매번 빈 의자와 빈 책상을 앞에 두고 나만 살아남았음을 미안해했다. 이 의자와 탁자의 부재는 도대체 무엇으로 채워야 하나. 마리우스의 뜨거운 눈물 같은 남은 자의 참된 애도만이 공허의 한 조각을 겨우 메운다.

28

오늘도 형사법정에서는 음주운전과 보이스피싱, 사기와 절도, 폭행, 스토킹, 강제추행, 강간, 살인, 산업재해, 마약, 아동학대 같은 온갖 사건이 선고된다. 그나마 7월 말에서 8월 초 2주간은 재판이 잠시 쉰다. 휴정기를 맞아 잠시 숨을 고르던 나는, 시를 읽다 벌컥 슬퍼졌다.

시인은 "아이들이 검게 말라 쓰레기처럼 죽고, 오른쪽은 왼쪽을 씹고, 왼쪽은 오른쪽을 까고, 대가리는 꼬리를 먹고, 꼬리는 대가리를 치다 죽는 이 시대에, 시인의 용도가 무엇이냐고"✣ 하느님께 묻는다. "골방에서 라면으로 끼니를 잇는 노파가 있고, 하꼬방에서 엄마를 기다리는 영양실조의 소년이 있는 이곳에서, 하느님, 내가 고통스럽다는 말, 외롭단 말, 사랑이란 말 못 하게

✣ 마종기, 〈시인의 용도 1〉, 《모여서 사는 것이 어디 갈대들뿐이랴》, 문학과지성사, 1986.

하세요"라고 탄원하다 "고통도, 사랑도 말 못 하는 섭섭한 이 시대에 시인의 용도가 무엇인지"** 다시 묻는다.

나도 묻는다. 소년범의 건전한 성장도, 피해자의 일상 회복도, 아동학대로 죽어가는 아이의 구조도, 정신질환자나 중독자의 치료도, 생계범의 갱생도 돕지 못하는 판사의 용도가 무엇이냐고. 진실 발견도, 정의 구현도, 권리 구제도, 분쟁 해결도 제대로 못 하는 답답한 이 시대에 판사의 쓸모는 과연 무엇이냐고.

진도 바다에서 이태원까지, 구의역에서 태안까지, 오송에서 신림·서현역까지, 꽃 같은 아이들과 청년들과, 선한 시민들이 우수수 낙화하는 참혹한 이곳에서, 재난 담당자의 용도는, 검경의 용도는, 관료와 정치인의 용도는 무엇이냐고. 모든 이의 쓸모가 매섭게 추궁받는 이 시대에, 살아남은 자의 용도는 과연 무엇이냐고, 나는 묻고 또 묻는다.

엠마뉘엘 카레르의 자전소설 《나 아닌 다른 삶》(전미연 옮김, 열린책들, 2011)은 두 명의 쥘리에트에 관한 이야기다. 한 명은 2004년 스리랑카를 덮친 지진 해일에 휩쓸려 사망한 네 살 여자아이고, 한 명은 프랑스 비엔에서 신용불량자들을 구제하기 위

** 마종기, 〈시인의 용도 2〉, 위와 같은 책.

해 애썼던 소법원 판사다. 카레르의 처제였던 쥘리에트 판사는 서른셋에 유방암이 폐로 전이되어 죽었다. "쥘리에트를 나는 예전엔 몰랐고, 그 슬픔은 내 슬픔도 아니기 때문에, 나는 전혀 이 얘기를 글로 쓸 입장이 아니다"라는 카레르를 향해 쥘리에트의 절친한 동료였던 에티엔 판사가 말한다. "바로 그렇기 때문에 당신이 글을 쓸 수 있는 거예요. 그리고 나도 어떤 측면에서는 당신과 같은 입장이에요. 그녀의 병이지 내 병이 아니었으니까. 나는 그녀의 앞에, 옆에 있었지, 그녀의 자리에 있지는 않았으니까요."

무용無用이 편만하니 질병과 재난, 사고와 범죄가 지척이다. 어느 지하차도나 지하철역, 어떤 배 안이나 축제의 거리, 그날 그 자리에 있지 않았다는 단 한 가지 이유만으로 나는 살아남았다. 나 아닌 다른 삶은 없다. 살아남은 자로서 나의 유일한 용도는 이 글을 쓰는 것뿐이다.

29

희망과 사랑이 살고자 하는 의욕을 불러일으키는 건 맞다. 그러나 희망이 사라지는 순간 대처할 수 없어진다. 사랑도 마찬가지다. 사랑을 잃는 순간 손쓸 방법이 없다. 생명체의 존속이라는 최소한의 관점에서 본다면 희망과 사랑보다는, 그저 본능이나 관성, 타성 같은 것들이 더 좋을지도 모른다. 일단 살아야 희망도 있고 사랑도 있다. 성범죄 피해 여성들의 연대구호가 '살아만 있어요'인 데는 이유가 있다. 생명을 넘어서는 승리는 없다.

✣

건강보다 급한 사건은 없다. 생명보다 중요한 업무는 없다.

이 점에 대해서만큼은 사회적으로 굳건한 합의가 있었으면 좋겠다.

30

왕가위 감독의 영화 〈아비정전〉에서 아비(장국영)는 매표원인 수리진(장만옥)을 찾아가 같이 시계를 보자고 한다. 수리진과 아비는 1분 동안 시계를 바라본다. 아비가 말한다. "1960년 4월 16일 3시 1분 전, 당신과 난 여기 있고 이 순간을 기억하겠군요. 이건 부인할 수 없는 엄연한 사실이죠. 이미 지나간 과거가 되었으니." 수리진이 독백한다. "그가 그 순간을 기억할지는 잘 모르겠지만, 난 정말 그를 잊지 못했다."

인생은 모호한 10년이 아니라 강렬한 1분이 결정한다. 삶을 추동하는 건 언제나 구체적인 사건들이다. 매 순간 겪어나가는 삶은 추상적일 수 없고, 한 번도 경험하지 못한 죽음은 추상적일 수밖에 없다. 구체적이지 않은 것은 실은 죽은 것이다. 초침의 칸칸마다 떨리는 마음으로 함께한 그 1분처럼, 사랑을 뒷받침하는 증거와 행동과 맥락이 갖춰져야만 사랑이라 불릴 자격이 있다.

사랑만이 아니다. 이념도, 정치도 구현돼야 한다. 차별금지법이나 장애인 이동권처럼 만들어지지 않는 법과 실현되지 않는 권리와 수립되지 않는 정책은 상실감만 안겨줄 뿐이다.

피터 드러커Peter Drucker는 "미룬 일은 포기해버린 일이나 마찬가지"라고 했다. 이 말은 언제나 진리다. 유보된 꿈은 꿈이 아니다. 유보된 행복도 행복이 아니다. 유보할 인권이나 생명, 재산이나 성적 자기결정권은 없다. 유보된 약속은 유예된 희망이 아니라, 그저 기망이다.

31

빛보다 빠른 유일한 것은 인간의 의식뿐이다.

32

미국이나 캐나다에는 최저가격보상제price match guarantee라는 게 있다. 대형마트나 베스트바이 같은 오프라인 대형몰 등에서 실시한다. 경쟁사가 자기 회사보다 낮은 가격에 물건을 판매하는 사실을 전단지로든, 인터넷으로든 확인하기만 하면 계산할 때 즉시 그 가격으로 낮춰서 결제한다. 사놓고 나중에 알았어도 한 달 정도 안에만 영수증을 들고 가면 차액만큼 환불해준다. 소비자로서는 굳이 싸게 파는 곳을 이리저리 돌아다닐 필요가 없다. 요란하게 할인 광고를 하지만 이런저런 복잡한 방법으로 교묘하게 가격 계산을 어렵게 하고 소비자를 골탕 먹이는 우리로서는 참 이해하기 어려운 제도다.

미국은 환불도 무척 쉽다. 월마트 같은 곳에는 환불을 받으려는 사람이 길게 늘어서 있는데, 입거나 신은 옷과 신발, 개봉한 햄, 심지어 반쯤 먹다 만 잼이나 육류 같은 것도 환불받으러 온다. 주로 형편이 어려운 서민이 많은데 놀랍게도 대개 환불이 된다.[*] 도덕적 해이도 있겠지만, 가난으로 사람을 모욕 주거나, 궁핍 앞에 사람을 세워두고 비참하게 만들지는 않는다. 사회적으로 이 정도 합의와 여유가 있어야 선진국이라 할 수 있지 않을까. 이걸 도덕적 해이라고 부를 수나 있을까.

* 이렇게 환불된 제품이나 재고품들은 가격이나 포장 상태에 따라 노드스트롬 랙 등의 백화점 아웃렛, 마셜스나 티제이맥스 같은 재고 할인 판매점에서 팔리다 마지막에는 자선단체가 운영하는 굿윌 같은 곳으로 간다.

33

시시각각 혼자 무너지고 있는 우리가

기막히게 우연한 지점, 어느 모퉁이나 모서리에서 만나

그 필연적인 무너짐과 무게로,

서로에게 짜릿한 버팀목이 되어줄 때,

이때가 바로 연대의 순간이다.

사람인(人) 자처럼,

연대는 외로운 직각들이

예각으로 기댄 상태다.

34

우연한 인연으로 가끔 신간을 보내오는 편집자가 있다. 사회적 약자나 부조리에 대한 감수성이 남다른 사람이다. 그래서 늘 힘들어하고, 나 같은 사람에 대한 기대를 숨기지 않는다. 그 바람에 부응할 능력이 전혀 없다는 말과 함께 "책이나 칼럼, 인터뷰에서는 의연한 척하지만, 사실 나도 많이 지치고 피곤하다. 의미 없는 동어반복만 하는 게 아닌지 회의가 든다. 세상이 너무 요지부동으로 완강해 진부하기 이를 데 없다. 누가 더 식상한가, 누가 더 빨리 지치나 힘겨루기 하는 것 같다. 하늘 아래 새로운 것이 있을 수 없으므로, 어차피 사람들이 하는 말은 다 거기서 거기다. 아무리 좋은 말을 해도 화자가 그대로면 더 진부하게 느껴진다. 이제 우리 세대에게 기대할 건 없다. 우린 역사적 효용을 다했다. 세대 교체가 절실하다. 이제 당신들 세대가 전면에 나설 때다. 뒤에서 열심히 응원하겠다"는 메일을 보냈다.

얼마 뒤, 답신이 왔다. "화자가 그대로인 상태야말로, 세상을 조금이라도 바꾸고 싶었던 그 간절하고 소중했던 마음을 계속 유지해나가는 일이야말로, 가장 힘든 일 아닐까요? 연배가 높은 사람들이 꾸준히 같은 길을 걸어가주는 것만으로도 감사한 일입니다. 그런 사람들의 존재만으로도 큰 힘을 얻고, 포기하려다가도 퍼뜩 정신을 차리게 되니까요."

얼굴이 화끈거렸다. 세대 교체라는 명분으로 책임을 회피하려 했던 내 위선이 들통난 기분이었다. 연대와 공감, 낙원으로 가는 길에 세대 교체란 없다. 그 길 도중에 사라질지언정 앞서가는 사람들은 쉬지 않고 "이 길이야, 이리로 와, 어이, 거기! 발밑 조심해"라고 목 터져라 외쳐야 한다.

35

나는 정치적 지향이 없는 사람이다. 내 유일한 꿈은 더 나은 세상, 더 나은 곳으로, 한 명의 낙오도 없이 모두 이동하는 것이다. 인간이 얼마나 악할 수 있는지 잘 아는 나는, 지금 당장 획기적인 개선을 바라지도 않는다. 아이들이 좀 덜 죽는 곳으로, 여성들이 덜 강간당하고, 노동자가 덜 추락하고 끼이는 곳으로 가길 바란다. 법과 제도는 아이와 여성과 노동자의 추락을 막기 위한 최소한의 안전 발판이자 비계다. 그 아래 안전망이 바로 우리다.

✣

에릭 클랩턴Eric Clapton은 록 기타리스트지만 블루스 연주자로 더 유명하다. 블루스의 전설 머디 워터스Muddy Waters는 "백인은 블루스를 따라 할 수 없다"고 매정하게 평가했다지만, 블루스를 오늘날의 대중적인 음악으로 만든 건 에릭 클랩턴과, 그를 지지한 비비 킹B.B. King의 공헌이 지대하다.

누가 백인이 블루스나 재즈를 못한다고 하나. 배우면 잘한다. 386 운동권이 변절하면 더 지독하듯, 꼰대가 개심하면 더 멋지다. 그러니 모른다고, 이해할 수 없다고 외면하지 말자. 타고나는 건 없다. 인권도, 감수성도 배울 수 있다. 중요한 건 애정과 반복이다.

36

지난해 마트 노조에서 노동자 5천여 명을 대상으로 진행한 설문조사에 따르면 마트 노동자들은 1인당 최대 252개 박스를 하루에 403회 들었다 놨다 하고 있는 것으로 나타났다. 이들 중 근골격계 질환을 의심할 수 있는 노동자는 56.3퍼센트로 나타났으며, 실제 병원 치료를 받은 경험도 69.3퍼센트에 달한다고 한다.

"AI 무인 계산기엔 천문학적 비용을 투자하는 시대에 (박스에) 구멍 하나 뚫지 않는 이 상황에서 마트 노동자들과 우리 아이들은 무슨 희망을 갖고 살아야 합니까."✤

청사 사정이 열악한 법원 청소부 아주머니들은 청소용품이

✤ 서민선, "'400번 들었다 놨다 하는데… 박스 손잡이 구멍 뚫는 게 어렵나'", 〈노컷뉴스〉, 2020. 9. 23.

빽빽한 창고나 좁은 탕비실에서 쉰다. 책《4천원 인생》** 을 보면 꼭 법원만의 얘기도 아닌 듯하다. 이분들은 편하게 등 붙이고 쉴 곳조차 없다. 사람 쉬는 곳에 물건이 있는 게 아니라, 물건을 보관하는 곳에 사람이 얹혀 쉰다. 근골격계 질환이 서운한 게 아니다. 적은 비용으로 손쉽게 고칠 수 있음에도 하지 않는 그 무심함이 서러운 것이다.

** 안수찬 · 전종휘 · 임인택 · 임지선, 한겨레출판, 2010.

37

〈도니 브래스코〉는 알 파치노와 조니 뎁이 주연한 갱스터 영화다. FBI 요원인 조지프 D. 피스톤이 도니 브래스코(조니 뎁)라는 이름으로 뉴욕 마피아 조직에 잠입하는 이야기다. 〈대부〉나 〈스카페이스〉에서 압도적인 카리스마를 뽐내던 알 파치노가 이 영화에서는 비굴하고 애처로운 늙은 하급 마피아 벤자민 루지에로(일명 레프티)로 나오는 게 참 신선했다. 레프티는 도니를 조직에 소개하고 친아들보다 더 아끼지만, 결국 도니의 정체가 탄로나면서 조직으로부터 죽음의 소집send for 전화를 받는다.

아내 내 전화예요?

레프티 아니. 나가봐야겠어.

아내 늦어요?

레프티 어쩌겠어? 잘 알잖아. 기다리지 말고 자라고. 좀 오래 걸릴 거야. 그리고… 도니한테 전화 오면 전해… 그게… 누구라도 상관없다고… 그게 너여서 난 기쁘다고, 알겠지? 이쁜 마누라. 안녕.

아내 다녀와요, 벤.

이 영화에서 잊히지 않는 장면은, 레프티가 아내와 키스를 하고 문을 나서는 척하다 아내 몰래 다시 돌아와 시계, 반지, 라이터, 열쇠, 현금, 지갑, 목걸이를 차례로 서랍장에 넣는 장면이다. 죽음에 대한 두려움, 사랑과 회한 등 온갖 감정이 교차하는 알 파치노의 연기는 명불허전인데, 서랍장 문을 닫았다가 다시 반쯤 열어두는 장면이 압권이었다. 레프티가 얼마나 섬세하고 배려심 많은 사람인지 단 한 컷으로 보여주는 명장면이다.

이 영화를 본 후, 배려라는 단어만 생각하면 나는 항상 반쯤 열린 서랍장 문이 떠오른다. 배려가 뭐 대단한 게 아니다. 아내가 찾기 쉽도록 서랍장 문을 살짝 열어두는 것 혹은 택배 상자에 작은 손잡이 구멍을 내는 것 따위다.

38

사랑의 미담은 언제나 가슴을 뭉클하게 한다. 잊히지 않는 사건이 있다. 어린 자녀를 둔 부모라면 사람들이 붐비는 곳에 갔다가 아이들이 시야에서 사라질 때의 그 불길하고 불안한 심정을 한번쯤 겪어봤을 것이다. 1~2분만 안 보여도 정말 심장이 쪼그라들고 속이 타들어간다. 이 고통을 20년 동안 겪은 남자가 있다. 부산법원 구내이발소를 운영하는 신종섭 씨다. 그는 2008년 8월, 잃어버렸던 딸들과 20년 만에 다시 만났다. 당시 부산지방법원 공보관이던 내가 이 이야기를 한 기자에게 알렸고, 그 기자가 그를 취재했다.

신 씨는 20년 전, 모친과 아들, 그리고 딸 둘을 데리고 부산으로 이사를 왔다. 이혼을 한 직후였다. 서울에서 이발사로 근무하던 그는 서울이 싫어졌고, 부산에서 새 삶을 찾기로 했다. 어부가 된 그는 쌍끌이 조깃배를 타고 바다로 나갔다. 1988년경 그가 바다에 가 있는 사이, 그의 모친이 그의 아들과 딸 둘을 데리고 부산 어린이대공원에 놀러갔다가 그만 딸들을 잃어버리고 말았다. 부산에 온 지 한 달 만의 일이었다.

그때부터 신 씨는 딸들을 찾아나섰다. 이발 도구가 든 가방을 둘러메고 고아원으로, 어린이집으로 딸들을 찾아 백방으로 다녔지만 찾지 못했다. 아들이 성장해서 결혼을 했지만 신 씨는 딸 생각에 하루도 편할 날이 없었다. 명절에 술에 취하면 꺼이꺼이 울곤 했다. 보다 못한 아들이 경찰에 도움을 청했고, 지난 8월 딸들을 다시 만날 수 있었다. 그동안 딸들은 모두 결혼을 했고, 신 씨는 사위와 손자까지 한꺼번에 만나게 된 것이었다. 신 씨는 지난 추석, 딸들을 데리고 선산에 다녀왔다. 어머니가 잠들어 있는 산소 앞에서 신 씨와 딸들이 절을 올렸다. "어머니, 손녀들을 찾았어요. 당신의 평생 한을 풀었습니다. 어머니, 이제 편히 잠드세요." 신 씨 곁에서 딸들의 흐느낌이 들려왔다.

한편, 애들을 찾기 위해 시작한 신 씨의 이발 봉사활동은 20여년간 계속되어왔다. 그동안의 활동으로 1998년에 부산시장의 모범선행시민상, 2001년 해운대구 중1동장의 감사장, 2002년 대한장애인공예협회장의 감사장을 수상하였으며, 해운대구 신문에 신 씨의 선행이 소개되기도 하였다. 부산법원 자원봉사모임인 "정겨운 세상 만들기" 봉사활동에 이미 세 차례 다녀왔다. 그가 수상한 중1동장의 감사장에는 이렇게 쓰여 있다.

"귀하께서는 생업에 바쁜 가운데서도 무의탁 노인 등 생활 형편이 어려운 할아버지 할머니를 위한 무료 이발 봉사를 6여년 동안 실시해오고 있습니다. 더불어 살아가는 훈훈한 사회를 만드는 데 앞장서주신 고마운 뜻을 기리고자 이 감사장을 드립니다."✤

신종섭 씨의 선행과 딸들과의 재회 사이에는 사실 아무런 인과관계도 없다. 그럼에도 우리는 어떻게든 이를 연관 짓고 싶어 한다. 주역에도 적선지가필유여경(積善之家必有餘慶, 선한 일을 많이 한 집안에는 반드시 남는 경사가 있다)이라 적혀 있는 것을 보면, 선을 동경하고, 선이 잘되기를 바라는 마음이야말로 인간의 기본값이다.

✤ 장규석, "실종 딸 찾아 시작한 이발 봉사… 20년 만의 감격상봉", 〈노컷뉴스〉, 2008. 10. 11.

39

부산에 살다 보니 바닷가 산책을 자주 한다. 해운대는 달이 특히 좋다. 어느 날 달을 등지고 저만치서 마주 걸어오던 한 여인이, 잠시 무엇을 잊은 듯 돌아서더니 달을 보며 손을 모으고 짧게 기도했다. 그 후 다시 돌아서다 나와 눈이 마주쳤다. 그는 쑥스러운 듯 고개를 살짝 숙였다. 나도 약간 고개를 숙이고 지나쳤다.

늘 보는 달이라 새삼 소원을 빌 일이 없었으나, 나도 문득 걸음을 멈추고 달을 보며 소원을 빌었다. 아까 그 여인의 소원이 이뤄지게 해달라고 빌고, 오늘 뉴스에서 본 기도하는 우크라이나 어머니의 소원도 이뤄지게 해달라고 빌었다. 모든 사람이 타인의 소원을 빌어주는 세상은 얼마나 평화로울까.

괄호 치고

초판 1쇄 발행 2024년 3월 8일
초판 2쇄 발행 2024년 4월 8일

지은이 박주영
편집 조은혜
디자인 만만
펴낸이 조은혜
펴낸곳 모로
출판등록 제2020-000128호
등록일자 2020년 11월 13일

이메일 moro@morobooks.com
트위터 @morobooks
인스타그램 @morobooks

ISBN 979-11-982262-6-6 03810